D1535627

Espoirs et incertitudes

Will   Irma   Taranee   Cornelia   Hay Lin

Espoirs et incertitudes

Adapté par KATE EGAN

PRESSES AVENTURE

© 2009 Disney Enterprises, Inc
© 2009 Hachette Livre, pour la traduction française
W.I.T.C.H. Will Irma Taranee Cornelia Hay Lin est une
marque de commerce de Disney Enterprises, Inc.

Paru sous le titre original : *Keeping Hope*

Publié par Presses Aventure, une division de
LES PUBLICATIONS MODUS VIVENDI INC.,
55, rue Jean-Talon Ouest, 2ᵉ étage
Montréal (Québec)
H2R 2W8

Traduit de l'anglais par : *Agnès Piganio*

Dépôt légal – Bibliothèque et Archives nationales du Québec, 2009
Dépôt légal – Bibliothèque et Archives Canada, 2009

ISBN 13 : 978-2-89543-947-9

Imprimé en Chine

Au moment où elle s'apprêtait à raconter ses vacances, Hay Lin sentit son estomac se nouer. Des histoires de garçons, de boyfriends, de rendez-vous, elle en avait entendu plus d'une. Seulement, jusqu'à présent, il s'agissait toujours de celles des autres. Aujourd'hui, c'était elle l'héroïne !

Même si, pour une fois, elle trouvait agréable d'occuper le devant de la scène, elle se sentait un peu mal à l'aise dans ce rôle, et elle avait le trac comme une actrice avant le lever de rideau. Encore étonnée de tout ce qui lui était arrivé pendant l'été, elle était partagée entre l'envie de tout raconter et la crainte de ce que penseraient – ou diraient – ses amies.

Hay Lin inspira profondément et regarda son auditoire. Les yeux fixés sur elle, Will, Irma, Cornelia et Taranee attendaient.

« Voilà les quatre personnes avec lesquelles je me sens le mieux, songea-t-elle. En réalité, il y en a cinq, mais l'autre, je le verrai plus tard... et avec un peu de chance, il sera dans ma classe. Ces quatre amies, je peux tout leur dire et – double avantage ! – en leur racontant mon histoire, je revivrai chaque instant de la rencontre avec mon premier boyfriend ! » Elle souriait déjà à la seule idée de prononcer le nom du garçon à voix haute.

Hay Lin commença donc son récit...

Tout avait débuté dans le parc d'Heatherfield où elle faisait du roller. D'habitude, elle excellait dans ce sport mais, ce jour-là, elle avait de la peine à trouver son équilibre. Malgré cela – allez savoir pourquoi... – elle décida de s'acheter une glace.

Dès qu'elle eut son cornet à la main, elle comprit son erreur et se dirigea vers un banc pour y manger sa glace en toute sécurité. Mais elle avait si peur de la faire tomber qu'elle en oublia de regarder où elle mettait les pieds. Sans s'en rendre compte, elle rejoignit la piste cyclable... juste au moment où arrivait une moto !

Croyant que la moto allait l'éviter, Hay Lin continuait à avancer quand son sac fut happé par le guidon. Avant même de réaliser ce qui se passait, elle se trouva brusquement entraînée dans le sillage de l'engin !

C'était terrifiant !

Les freins de la moto hurlèrent. Hay Lin vit le moment où elle allait être précipitée dans les buissons...

Enfin, la moto s'arrêta. Hay Lin tomba par terre... avec son cône de glace dans la main – un vrai miracle ! Elle n'était pas blessée, mais quelle humiliation !

Le conducteur de la moto accourut, affolé.

— Ça va ? Rien de cassé ?

— Non, pourquoi ? Tu veux m'achever ? dit-elle, s'efforçant de prendre les choses avec humour.

Elle perçut une lueur d'angoisse dans les yeux bruns du garçon.

— Je crois que tout va bien, ajouta-t-elle après avoir constaté que ses jambes étaient intactes.

« Mais il faut vite que je me sorte de cette posture ridicule ! » se dit-elle.

— Tu es sûre ? Je peux faire quelque chose ?

La voix du motard trahissait une véritable inquiétude.

— Non vraiment... ça va, merci, balbutia Hay Lin.

C'est seulement à ce moment-là qu'elle prêta une réelle attention à son interlocuteur.

Il avait à peu près son âge, des cheveux bruns ondulés, des yeux qui la fixaient avec douceur... et un sourire à faire fondre.

— Tiens, prends ma main, lui dit-il.

Toutes ces émotions avaient donné à Hay Lin des faiblesses dans les jambes et elle saisit la main tendue.

— Merci, fit-elle, toujours agrippée à son cornet.

— Ça va ? insista-t-il. Dis donc, quelle chute !

Hay Lin rougit jusqu'à la racine des cheveux et, souriant d'un air niais, répondit poliment :

— Tout va bien, merci.

Cette réponse pouvait surprendre : elle venait de frôler la mort et, juste après, ce beau garçon lui avait pris la main... Il y avait de quoi être ébranlée ! La preuve : elle lâcha son cornet... et la glace alla s'écraser sur la chemise de son interlocuteur !

Au lieu de se fâcher, le garçon éclata de rire.

Elle fit mine d'en rire aussi, puis se hâta de quitter le parc en s'excusant mille fois. Jamais elle ne s'était sentie aussi bête !

Elle pensa à l'incident tout le long du chemin. Qu'auraient fait ses amies, à sa place ?

Cornelia aurait sans doute demandé son nom au garçon, même après l'avoir inondé de glace, et Irma serait certainement repartie avec son numéro de téléphone.

« Je suis nulle ! » se dit-elle. Elle en venait presque à souhaiter que cette rencontre n'aie jamais eu lieu. En même temps, elle avait bien envie de revoir ce bel inconnu... mais comment le retrouver ?

Hay Lin enviait ses amies, si à l'aise avec les garçons... D'un autre côté, elle tenait beaucoup à son indépendance.

« On a tant de choses à faire ! se disait-elle. Comment peut-on trouver, en plus, le temps de s'occuper des garçons ? »

— Alors ? fit Irma.

Hay Lin, perdue dans ses pensées, se rappela soudain que ses amies attendaient la suite de son récit.

— Alors ? répétèrent les autres.

Elle sourit.

— Eh bien, nous nous sommes revus le soir-même, dit-elle en rougissant.

Ce soir-là, elle était censée travailler au restaurant de ses parents, mais il n'y avait aucun client. Elle se tenait derrière le comptoir et lisait un livre près du téléphone, attendant les commandes de plats à emporter. Il faisait chaud près de la cuisine, et elle se rafraîchissait avec un éventail.

Soudain, Fang apparut à la porte de la cuisine, une serviette à la main.

— Tu es toujours là ? s'étonna-t-il en s'essuyant le front. Tu ne sais donc pas ce qui se passe ce soir ?

Sans lever les yeux de son livre, Hay Lin murmura :

— Euh, voyons...

Elle ne s'en souciait pas vraiment. Elle avait promis à ses parents de les aider et n'avait pas d'autre projet.

Sans attendre sa réponse, le cuisinier reprit :

— C'est la nuit des étoiles filantes ! annonça-t-il fièrement, comme s'il avait lui-même organisé le spectacle. On doit faire un vœu chaque fois qu'on aperçoit une étoile.

— Super ! dit-elle. Et, tout bas, elle ajouta : Moi, j'en ai un à faire...

« Revoir ce garçon, songeait-elle, mais pas comme la dernière fois... » En reposant son livre sur le comptoir, elle fit tomber par terre un petit plateau rempli de monnaie.

— Oh zut ! s'écria-t-elle, plongeant derrière le comptoir pour ramasser les pièces.

Au même instant, elle entendit quelqu'un entrer dans le restaurant.

— Ça va mieux, ce soir ? demanda une voix masculine.

Cette voix lui parut familière, mais, chose étrange, le visiteur parlait chinois – une langue qu'elle ne parlait qu'en famille. Qui cela pouvait-il être ?

— Ça va mieux, ce soir ? répéta la voix.

Elle comprit alors que cette question s'adressait non pas à Fang, le cuisinier, mais bien à elle. Comme elle avait pour principe de se montrer toujours polie avec les clients, elle se redressa et répondit un peu froidement :

— Je vais bien, merci.

En apercevant celui qu'elle avait pris pour un client, elle faillit tomber à la renverse. C'était le garçon du parc ! Comment avait-il retrouvé sa trace ?... Il était là, l'air mal assuré... et si mignon !

— Ah, tant mieux ! poursuivit-il en chinois. Tu veux aller compter les étoiles filantes ?

Hay Lin resta une seconde sans voix, mais Fang rompit le silence. Le cuisinier, qui se tenait derrière le garçon, murmura, surpris :

— Qui est-ce ? murmura-t-il, surpris.

Hay Lin balbutia :

— Fang, je te présente... euh...

— Éric Lyndon, dit le garçon, voyant son embarras. Enchanté, ajouta-t-il.

Et il tendit la main à Fang.

Le cuisinier n'avait pas la réputation d'être particulièrement aimable. Il disait toujours que la cuisine était la meilleure partie du restaurant car la plus éloignée des clients. Mais Hay Lin voyait bien qu'Éric l'intriguait. Plissant les yeux, le nez en l'air, il contempla le nouveau venu.

— Alors, ce jeune homme parle chinois, dit-il. C'est un bon point, Hay Lin !

Hay Lin sentit ses joues s'empourprer.

— Fang ! fit-elle d'un ton de reproche.

— Je ne sais que quelques mots et mon accent est épouvantable, dit modestement Éric.

Soudain d'humeur à plaisanter, Fang le mit à l'aise :

— « Qu'importe l'accent si la grammaire est parfaite », dit l'adage.

Puis, plus sérieusement, il ajouta :

— L'important est que vous rameniez Hay Lin à temps.

Il sourit à Hay Lin et lui décocha un clin d'œil discret.

Celle-ci comprit le message. « Il me laisse sortir avec ce garçon, et personne ne doit le savoir ! »

Une minute plus tôt, Hay Lin était résignée à passer la soirée à lire toute seule au restaurant. Maintenant, elle s'apprêtait à aller observer les étoiles filantes avec ce jeune homme mystérieux qui parlait – presque la même langue qu'elle !

Bien qu'un peu inquiète à l'idée de sortir seule avec Éric, elle le prit par le bras avec une hardiesse surprenante et l'entraîna en souriant.

— Partons vite ! dit-elle.

Et elle lança à son tour un petit clin d'œil à Fang. Elle le remercierait plus tard d'une façon ou d'une autre. Pour l'instant, elle pouvait le laisser fermer le restaurant en toute confiance.

— Merci, Fang! Dis à mes parents que je rentrerai bientôt!

Hay Lin interrompit son récit et soupira. Elle avait raconté à ses amies toute l'histoire et appréhendait un peu de croiser leurs regards. Sa sortie avec Éric avait été une réussite totale, et la seule chose maintenant qui pouvait la rendre plus heureuse serait de le voir davantage à l'école, cette année! Mais où cela allait-il la mener? En resteraient-ils là?... Si Éric l'avait invitée à sortir, cela signifiait qu'il l'aimait bien... Mais comment en être sûre?

Elle croisa les doigts derrière son dos, puis regarda Cornelia, la spécialiste en matière de garçons. La voyant sourire, elle se sentit le cœur plus léger. Tout ce qu'elle voulait savoir était là, devant elle, dans le regard heureux de ses amies. Hay Lin était ravie d'avoir rencontré Éric, et encore davantage d'avoir ces amies. Les W.I.T.C.H. la soutiendrait dans ses affaires de cœur comme dans tous les autres domaines.

En approchant de l'Institut Sheffield, Cornelia sentit l'air chargé d'une énergie particulière. Les élèves se dirigeaient en masse vers l'imposant bâtiment de pierre dont le portail doré était ouvert à deux battants, tandis que l'horloge au-dessus de l'entrée comptait les dernières minutes des vacances. Personne ne se réjouissait de la fin de l'été, mais le jour de la rentrée avait toujours quelque chose d'excitant.

« En plus, ça change, se rappela Cornelia. Aujourd'hui, les gens sont bronzés, détendus et encore en tenue d'été. Dans une semaine, la routine aura repris le dessus. Comme si l'été n'avait jamais eu lieu. »

Cornelia n'était pas pressée de reprendre le travail, mais l'école n'avait jamais été un souci pour elle. D'une part, elle obtenait toujours d'excellents résultats et, d'autre part, elle faisait partie des élèves les plus populaires.

En réalité, cette réputation lui importait peu, à présent. « Tout ce qui compte pour moi, maintenant, c'est d'être avec les Gardiennes, mes vraies amies. »

Elle éprouvait soudain l'impression étrange d'avoir vécu un été long et difficile, et l'école lui apparaissait comme un refuge. En fait, elle ne gardait de l'été que des souvenirs confus.

Irma marchait devant – ce qui ne lui ressemblait pas – et, tenant deux crayons sous son nez en guise de moustache, elle s'amusait à imiter Fang, le cuisinier du restaurant des Lin.

— « Si Hay Lin ne va pas à Éric, Éric ira au Dragon d'Argent », dit l'adage.

— Ha-ha ! Arrête, Irma ! s'esclaffa Taranee.

Cornelia sourit. Parfois Irma la faisait mourir de rire et, à d'autres moments, elle l'horripilait. Le jour de la rentrée, tous les espoirs étaient permis, mais Cornelia avait le sentiment qu'Irma ne changerait pas de sitôt. Hay Lin, en revanche, vivait une vraie transformation.

Depuis qu'elle leur avait raconté son histoire avec Éric, elle traînait derrière le groupe, la tête basse, en tripotant une mèche de cheveux d'un air soucieux.

Cornelia s'arrêta pour l'attendre.

— Tu as parlé d'étoiles filantes, de vœux... Es-tu sûre de n'avoir rien oublié ? lui dit-elle en lui donnant un petit coup de coude.

Elle mourait d'envie d'entendre la suite. Éric avait-il embrassé Hay Lin ? L'avait-elle revu après cette soirée ?

— Nous sommes juste bons amis, c'est tout ! répondit Hay Lin, avec des yeux émerveillés. Il m'a raconté de si belles histoires !...

Était-elle vraiment sincère ? Hay Lin avait beau prétendre qu'elle et Éric étaient seulement « amis », Cornelia percevait un léger changement dans sa voix quand elle prononçait le nom de ce nouvel ami. « Elle est amoureuse, se dit Cornelia. Mais elle craint peut-être de l'avouer. »

— Saviez-vous que la voûte céleste est divisée en quatre-vingt secteurs, correspondant précisément au même nombre de constellations ? demanda Hay Lin d'un air rêveur.

— Bien sûr que je le sais ! répondit Irma avec assurance. C'est bien connu !

Ses amies lui jetèrent des regards sceptiques. Elles connaissaient trop bien Irma pour se laisser prendre à ce petit mensonge.

— Mais si, je vous assure ! insista-t-elle.

Cornelia avait envie de rire mais, par respect pour Hay Lin, elle attendit la suite de l'histoire sans broncher.

Éric venait d'arriver à Heatherfield, expliqua Hay Lin. Nous sommes allés à l'observatoire où il vit avec son grand-père, le professeur Zachary Lyndon.

Ce nom ne disait rien à Cornelia. Mais elle connaissait l'observatoire aux abords de la ville : un petit bâtiment surmonté d'une coupole, perché sur un promontoire au bord de l'eau. Elle avait aperçu des tas de mouettes autour mais jamais personne.

« C'est sans doute un lieu formidable pour observer les étoiles, se dit-elle. Isolé, loin des lumières de la ville. On ne doit entendre que les battements de cœur de son amoureux... Comme c'est romantique ! »

Elle imaginait son amie sous le ciel étoilé avec le garçon de ses rêves. La savoir amoureuse avait quelque chose d'excitant.

"ÉRIC VIENT D'ARRIVER EN VILLE. IL M'A EMMENÉ À L'OBSERVATOIRE OÙ VIT SON GRAND-PÈRE, LE PROFESSEUR ZACHARY LYNDON."

"IL M'A PARLÉ DES ÉTOILES... DE SES VOYAGES! IL A ÉTÉ PARTOUT, AVEC SES PARENTS!"

Hay Lin continuait à s'extasier sur Éric.

— Il m'a parlé des étoiles et de tous les voyages qu'il a faits. C'est extraordinaire! Avec ses parents, il a vécu partout dans le monde! Il est allé dans des endroits incroyables. Et il en voit toujours les bons côtés. À l'entendre, on croirait que la souffrance n'existe pas!

Cette remarque plongea Cornelia dans de profondes réflexions philosophiques. Malgré tout ce qu'Éric pouvait raconter, elle restait convaincue que la souffrance existait bel et bien. Elle menait une vie heureuse à Heatherfield, et pourtant, le mot «souffrance» résonnait dans son âme, comme s'il correspondait à un sentiment qu'elle-même avait connu...

«Certains croient à des vies antérieures...
J'ai peut-être vécu des événements drama-
tiques dans des temps lointains. Ou bien
quelque chose qui s'est passé à l'autre bout
de l'univers résonne en moi pour une raison
inexplicable, et je vis peut-être les souffrances
de quelqu'un d'autre... »

Son esprit pragmatique reprenant le dessus,
Cornelia décida que ce n'était pas le moment
de se noyer dans des considérations de ce
genre. Hay Lin méritait toute son attention.

En même temps, l'histoire de son amie lui
donnait envie de se perdre dans les étoiles,
de voyager à travers les galaxies pour
rejoindre quelque chose... ou quelqu'un, très
loin...

Elle se ressaisit à nouveau. Que se passait-
il ? À quoi voulait-elle échapper ? D'habitude,
elle était toujours contente de reprendre l'école. Mais, cette fois, c'était comme si elle avait
laissé quelque chose d'inachevé. Qu'est-ce
que cela pouvait être ? Était-ce en rapport
avec l'été ?

En y réfléchissant, elle avait du mal à se
rappeler précisément ces vacances. Elle se

souvenait d'avoir passé une semaine avec ses amies au Camp des Cormorans où la famille d'Irma avait loué un bungalow. Ensuite, son père était venu la chercher et l'avait ramenée à Heatherfield avant de repartir avec toute la famille pour de nouvelles vacances au lac de Riddlescott. Ils logeaient dans une superbe maison au bord de l'eau, et Cornelia s'y était beaucoup plu.

Tandis qu'elle pénétrait dans la cour de l'école avec ses amies, elle se rappela l'album de vacances qu'elle venait de constituer. Il contenait des photos d'Irma faisant des grimaces devant l'objectif, de Will scotchée à son téléphone sur la plage, de Taranee avec son frère à Sesamo, dans les montagnes, et de Hay Lin dormant à poings fermés. Il y avait aussi des cartes postales que ses amies lui avaient envoyées plus tard et des souvenirs des moments qu'elles avaient vécus ensemble, entre autres des baguettes du restaurant chinois et des billets de concert. Cornelia était contente d'avoir gardé tout cela, car elle avait l'impression d'avoir oublié par ailleurs des quantités de choses. Grâce à cet album, les souvenirs lui reviendraient.

« En tout cas, il faudrait que ma mémoire se réveille pour les premiers contrôles ! Sinon cette année scolaire sera bien plus dure que prévu ! »

3

Yan Lin observait les Gardiennes qui enta-
maient leur nouvelle année scolaire à Heatherfield. Il n'y avait pas si longtemps, elle vivait
avec Hay Lin et ses parents au-dessus du
Dragon d'Argent et aidait sa petite-fille à se
préparer pour la rentrée.

Elle se rappelait avec émotion le soin
qu'elle prenait de la tenue de la fillette et de
sa coiffure, la friandise qu'elle lui mettait
dans son sac pour le déjeuner, et les grands

signes qu'elle lui faisait sur le pas de la porte pour lui dire au revoir.

Comme tout cela semblait loin ! Tant de changements s'étaient produits depuis !

Yan Lin avait été Gardienne, jadis, comme sa petite-fille. Aujourd'hui encore, elle servait Kandrakar, mais différemment. Depuis la fin de sa vie terrestre, elle était conseillère de l'Oracle. Ce qui ne l'empêchait pas d'observer Hay Lin du haut de la splendide forteresse.

Elle s'inquiétait beaucoup pour les jeunes Gardiennes à cause de Nerissa, leur nouvelle ennemie – bien plus dangereuse encore que Phobos. Si Nerissa parvenait à ses fins et s'emparait de leurs pouvoirs, elle pourrait s'en servir avec une puissance dévastatrice contre les filles, et contre Kandrakar !

« J'espère que l'Oracle sait ce qu'il fait, se dit-elle. Sa décision peut avoir de telles conséquences ! Tant de vies en dépendent ! »

Ce n'était pas son genre de contester les décisions de l'Oracle mais, cette fois, elle avait des doutes concernant son dernier projet pour les Gardiennes. Il avait fait en sorte que leurs souvenirs soient effacés pour un certain temps, jusqu'à ce qu'il les sente capables d'affronter Nerissa. Malgré sa toute-puissance et sa grande sagesse, il arrivait à l'Oracle – bien que très rarement – de commettre des erreurs.

« Qu'adviendra-t-il s'il se trompe ? se demandait Yan Lin. S'il met involontairement Hay Lin et ses amies en danger en effaçant de leur mémoire les épreuves que Nerissa leur a infligées durant l'été ? »

Cette éventualité la faisait frémir. Elle connaissait mieux que personne la force de Nerissa. Yan Lin avait été Gardienne avec elle, autrefois, et avait assisté à sa chute.

Qu'arriverait-il si l'Oracle avait sous-estimé la soif de vengeance de Nerissa, ou sa nature foncièrement mauvaise ?

Yan Lin avait espéré que les filles pourraient souffler après leur première mission. Mais cela n'avait pas été le cas.

Nerissa leur avait gâché les vacances en s'introduisant dans leurs rêves. Maintenant qu'elle était entrée en contact avec elles, son ombre ne tarderait pas à planer également sur leur année scolaire.

« La vie de Gardienne n'est pas de tout repos, songeait Yan Lin. Elles en ont déjà fait l'expérience. »

À présent, l'Oracle les condamnait à une amnésie sélective.

«Peut-être considère-t-il qu'il leur offre ainsi une chance de se reposer et de récupérer en vue des nombreux combats à venir. Et peut-être sa stratégie est-elle bonne. Il a toujours été sage et juste. J'espère seulement qu'il a bien pensé à tout. Parce que, pour l'instant, les cinq filles ont oublié Caleb – alors qu'elles sont censées l'aider – et la menace du redoutable plan de Nerissa.»

En tout cas, Nerissa ne renoncerait pas à sa vengeance, Yan Lin en était sûre. Pendant que les Gardiennes attendraient les ordres de l'Oracle, Nerissa se rapprocherait d'elles, et leurs expériences précédentes ne seraient d'aucune aide puisqu'elles ne se rappelleraient rien de leur dernière mission. Sauraient-elles rester unies?... Yan Lin leur faisait confiance mais se méfiait beaucoup de Nerissa. Elle connaissait mieux que quiconque les conséquences d'un désaccord entre les Gardiennes. Et elle savait que l'univers serait détruit si un tel désaccord se produisait de nouveau.

4

Au cœur du Temple de Kandrakar, l'Oracle inspira une grande bouffée d'air et la retint un long moment avant d'expirer. Puis il ferma les yeux et recommença en respirant profondément et en essayant de s'éclaircir l'esprit. Il y avait très longtemps, peut-être même des siècles, que l'Oracle ne s'était senti si désemparé. Les Gardiennes qu'il avait choisies se trouvaient confrontées à des forces beaucoup plus puissantes qu'il ne l'avait imaginé... et surtout bien plus tôt que prévu. Sa sagesse et sa clairvoyance ne lui avaient pas permis de prédire le cataclysme qui avait suivi l'absorption du Substituant par Cornelia.

Malgré sa respiration régulière et son immobilité, tous ses efforts de méditation échouaient. Son pouls battait à toute vitesse. Il espérait avoir fait les bons choix pour aider les cinq filles à vaincre Nerissa.

« Les Gardiennes sont les seules à pouvoir l'affronter, songeait-il. Leurs pouvoirs sont énormes et leur amitié solide.

Mais le désir de vengeance de Nerissa est si féroce qu'elle serait bien capable de les écraser. J'empêcherai toute rencontre tant qu'elles ne disposeront pas de tous les moyens de défense possibles. Nous devons tous être patients, même si cela laisse aussi à Nerissa le temps de reprendre des forces. C'est un risque, bien sûr, mais nous devons le prendre. Nous n'avons pas d'autre solution. »

L'Oracle avait confiance en sa décision, et pourtant ses conseillers les plus loyaux mettaient en doute son jugement. « Si seulement je pouvais leur expliquer, se dit-il, et les rassurer ! » Mais pour être efficace son projet devait rester secret et il devrait faire face à toutes les critiques, même de la part de ses amis et confidents les plus chers.

La dernière fois que les Gardiennes avaient quitté Kandrakar, Yan Lin était restée près de lui et les avait regardées partir, les épaules basses et le cœur lourd.

— Crois-tu vraiment qu'elles attendront sans rien faire ? avait-elle demandé.

Sa voix était douce, mais pas son regard.

L'Oracle savait qu'elle se faisait du souci pour les filles, en particulier pour Hay Lin. Elle n'était pas sûre que l'idée d'altérer leurs souvenirs était bonne. L'Oracle avait traversé avec elle le Grand Hall où le soleil entrait à flots par les hautes fenêtres cintrées. Leurs pas résonnaient sur le sol de marbre, entre les parois sculptées. Il n'y avait pas d'autres bruits. Yan Lin avait suivi l'Oracle jusqu'à un balcon d'où ils pouvaient voir le magnifique Temple se déployer sous leurs yeux. Alors, l'Oracle avait répondu à Yan Lin par une autre question :

— Si tu étais à leur place, renoncerais-tu si facilement ?

Yan Lin regarda la lumière danser sur les parois sculptées et les fontaines couler dans les bassins couverts de nénuphars. Elle ferma les yeux un instant puis les rouvrit et donna raison à l'Oracle.

— Non, répondit-elle en pesant ses mots. Je ne renoncerais pas.

— Tu vois bien, dit l'Oracle, satisfait de voir Yan Lin envisager la situation comme lui. C'est notre devoir de les protéger contre elles-mêmes ! Pour l'instant, elles ne doivent penser ni à Nerissa ni à Caleb. C'est pourquoi je brouillerai leurs souvenirs. Caleb est un jeune homme vigoureux, Yan Lin. Il est capable d'attendre le temps nécessaire.

Yan Lin tourna son regard vers le ciel.

— Je l'espère de tout cœur, dit-elle doucement. Alors, les Gardiennes oublieront tout ? demanda-t-elle après une pause. Elles perdront tous leurs souvenirs ?

L'Oracle la rassura.

— Non, expliqua-t-il. Seulement les souvenirs liés à Nerissa... et à Caleb.

À ce moment-là, Tibor, un autre proche conseiller de l'Oracle, vint annoncer une nouvelle importante.

— Oracle ! dit-il d'un ton pressant. La prisonnière est arrivée et le Conseil des Sages t'attend !

Après un rapide coup d'œil à Yan Lin, l'Oracle avait regagné le Grand Hall où la Congrégation s'était réunie à nouveau pour décider du sort de quelqu'un que les Sages connaissaient bien… Cette fois, il ne s'agissait pas de Cornelia, mais de Luba elle-même, qui les avait tous trahis.

L'idée de condamner Luba brisait le cœur de l'Oracle. Il se rappelait clairement la scène…

Luba avait gardé les gouttes d'Aura fidèlement pendant des siècles. L'Oracle était certain qu'elle n'avait pas prévu les graves conséquences de leur fusion et il était enclin à la clémence, mais il était important de rappeler qu'on ne devait pas interférer avec le travail des Gardiennes. Tout en plaignant Luba, l'Oracle savait qu'il devait rester ferme, montrer qu'il était le chef, et mettre de côté ses sentiments personnels.

La Congrégation se tut à son arrivée dans la salle. Il parcourut les gradins du regard pour s'assurer que tous les Sages étaient là, et lorsque le silence devint trop pesant, Luba entra à son tour, vêtue de la longue tunique rouge des prisonniers, les poignets enchaînés. L'Oracle qui s'attendait à la voir pleine de remords, fut surpris par son expression de défi.

— Luba ! cria-t-il. Regarde bien celui qui, par ta faute, est maintenant en danger !

Et, levant le bras, il lui montra une bulle qui s'était ouverte sur une terrible scène, à l'autre bout de l'univers. On y voyait Caleb entre les griffes de Nerissa, emprisonné et seul. C'était le garçon qui avait aidé à reprendre la Zone Obscure du Non-Lieu à Phobos, celui qui avait sauvé Cornelia et juré fidélité à Kandrakar. La faute de Luba avait coûté la liberté à ce jeune homme et, par là-même, suscité la colère de l'Oracle. Justice devait être faite, se disait-il. Quelle que soit son histoire, Luba devait payer pour ses crimes contre les Gardiennes et pour les malheurs qui allaient s'abattre sur Kandrakar à cause d'elle.

L'Oracle soupira. Luba devait être punie, mais il savait qu'elle avait agi de bonne foi, dans le but de sauver Kandrakar. C'était un moment très difficile pour lui.

Profitant du silence, Tibor renchérit :

— Par ta faute, Luba, Nerissa va bientôt se déchaîner contre Kandrakar et nous entraîner dans une bataille que nous n'avons jamais souhaitée... et que nous ne sommes pas certains de gagner !

Luba montrait un visage impassible. L'Oracle voulut lui donner une chance de plaider sa cause.

— Qu'as-tu à dire pour ta défense ? demanda-t-il.

Le Conseil, apparemment, ne l'entendait pas ainsi. L'un des Sages protesta :

— Non, Oracle, le temps des paroles est terminé !

Peu lui importait de savoir ce que Luba avait à dire pour sa défense. Il voulait passer tout de suite au verdict.

— Cette fois, il faut un jugement approprié ! La Congrégation s'est montrée clémente envers Nerissa. Résultat : cette traîtresse est revenue !

— Il a raison, approuvèrent les Sages en chœur. Qui nous sauvera, à présent ?

L'Oracle tressaillit. Il n'avait pas le sentiment d'avoir fait preuve d'indulgence envers Nerissa. Condamnée à un exil éternel sur le Mont Thanos, un volcan en bordure d'une toundra gelée, elle avait été privée de ses pouvoirs et enfermée dans un tombeau scellé pour méditer sur ses fautes. Le tombeau ne devait s'ouvrir que si les cinq pouvoirs se trouvaient un jour réunis, mais personne ne croyait à cette éventualité et, à l'époque, ce châtiment avait été jugé pire que la mort.

— Silence ! ordonna l'Oracle, coupant court à tout commentaire. Nerissa a eu le châtiment qu'elle méritait !

Les bras croisés, les Sages le regardaient avec colère.

— Dois-je vous rappeler le déroulement des faits ? ajouta-t-il.

Il lui était très pénible d'évoquer cette terrible journée, mais il prit sur lui et la raconta une nouvelle fois.

Il rappela donc au Conseil l'histoire de Nerissa, ancienne Gardienne du Cœur de Kandrakar. Avec ses compagnes – Kadma, Halinor, Cassidy et Yan Lin – elle avait exécuté scrupuleusement les ordres de l'Oracle et veillé à préserver tout ce que Kandrakar représentait. Elle avait su utiliser au mieux le pouvoir du Cœur et réalisé grâce à lui des choses extraordinaires. Mais peu à peu, grisée par son pouvoir, elle s'était mise à l'utiliser à son seul profit !

Les autres Gardiennes essayèrent de l'en empêcher, mais leur amitié ne comptait plus pour Nerissa si elle s'interposait entre elle et le Cœur. Au cours d'un terrible combat, elle tua Cassidy, la plus jeune du groupe. Les Gardiennes réussirent à empêcher Nerissa de s'emparer du Cœur, mais le prix à payer fut terrible... elles perdirent deux amies dans une seule bataille.

« Et Nerissa en a payé le prix également, songea l'Oracle. Quoi qu'en dise le Conseil ! »

Il la revoyait devant lui, enchaînée et furieuse. Majestueuse et fière, elle avait absolument voulu mettre une robe pourpre. La brise faisait onduler ses longs cheveux bouclés. L'Oracle avait déroulé sous ses yeux le rouleau de Kandrakar et énoncé le châtiment :

— Elle sera enfermée dans les profondeurs du Mont Thanos, privée de ses pouvoirs, sans aide ni compagnie. Ainsi en avons-nous décidé !

Nerissa l'avait foudroyée du regard puis, levant le poing, avait crié, écœurée :

— C'est une funeste décision ! Une terrible erreur !

Puis, la voix pleine de menace, elle avait ajouté plus bas :

— Je reviendrai, je le jure ! Et vous regretterez tous de vous être mis en travers de mon chcmin, je vous le dis !

L'Oracle avait regardé Nerissa quitter la salle, la mort dans l'âme. Mais il lui avait suffi de jeter un coup d'œil sur les autres Gardiennes pour se rappeler les raisons qui rendaient ce châtiment nécessaire. Sur les cinq Gardiennes d'origine, il ne restait que Kadma, Halinor et la jeune Yan Lin. L'Oracle avait essayé de trouver quelques paroles réconfortantes :

— Cassidy s'est sacrifiée pour sauver Kandrakar ! Maintenant, c'est à nous de protéger le Cœur !

Même aux oreilles de l'Oracle, ces mots sonnaient creux et semblaient bien insuffisants face aux épreuves que les Gardiennes avaient traversées.

Mais, une fois de plus, les trois Gardiennes l'avaient impressionné. Yan Lin s'était avancée, tenant le Cœur avec précaution, car elle n'était pas encore habituée à l'avoir dans les mains.

— Bien sûr, Oracle, murmura-t-elle. Nous avons perdu deux amies, mais nous sècherons nos larmes et servirons le Temple !

Le courage et la dignité des premières Gardiennes avaient inspiré l'Oracle pendant de nombreuses années. Même sans leurs amies, elles avaient continué leur travail et étaient restées fidèles au Temple. « Et maintenant, songea l'Oracle avec tendresse, l'une d'elles a même transmis la tradition à sa petite-fille ! » Hay Lin avait hérité pour une grande part des qualités de Yan Lin.

L'Oracle expira, soulagé. « Si les nouvelles Gardiennes ressemblent aux anciennes, se dit-il, elles trouveront la force d'affronter tous les obstacles... même la méchanceté de Nerissa. Je ne peux pas faire leur travail à leur place, mais je dois veiller autant que je le peux à leur sécurité. »

Il se frotta le menton d'un air songeur. « Voilà pourquoi j'ai raison d'être dur avec Luba », se dit-il. Il fallait redresser la situation.

À la nuit tombante, Caleb se pelotonna dans son manteau à capuchon, la tête dans les mains. Il ignorait depuis combien de temps il attendait du secours, mais il se demandait s'il serait capable d'attendre beaucoup plus longtemps. Il s'affaiblissait de plus en plus.

Après l'avoir assommé et ramené du lac de Riddlescott, les serviteurs de Nerissa l'avaient abandonné dans un désert gelé qui s'étendait à perte de vue. Maintenant, Caleb était seul dans une grotte, entouré de neige et de glaçons géants, avec un volcan qui grondait à l'horizon. Il pensa qu'il était peut-être sur le Mont Thanos, où jadis Nerissa avait été condamnée à vivre pour l'éternité, mais il n'en était pas sûr.

Au même moment, le volcan rugit et cracha de la lave bouillante. Ces petites éruptions n'étaient pas très inquiétantes, mais que se passerait-il quand le volcan et la rage de Nerissa finiraient par exploser pour de bon?

Il espérait être loin, alors, et pouvoir aider les Gardiennes à se défendre contre Nerissa. Encore fallait-il qu'il trouve un moyen de s'évader.

Caleb était déçu que les Gardiennes ne soient pas venues à son secours, mais peut-être ne savaient-elles pas ce qui se passait. Elles devraient être là, normalement, lui soufflait une voix dans sa tête. L'avaient-elles complètement oublié? Elles avaient pourtant lutté à ses côtés pour sauver la ville de Méridian et remplacer le brutal prince Phobos par Elyon, la reine légitime. Ensemble, ils formaient une excellente équipe.

Il se rappelait les tendres soins que lui avait donnés Cornelia lorsqu'il était encore sous sa forme de fleur. Elle ne l'avait jamais laissé seul et n'avait jamais cessé de croire qu'il pourrait redevenir le garçon qu'elle aimait.

Caleb se redressa et rassembla ses forces. Il devait se montrer courageux, à présent, et prouver à Nerissa qu'il n'avait pas peur.

Une pensée douloureuse lui traversa l'esprit. Et s'il était arrivé quelque chose aux Gardiennes ? À Cornelia ? La dernière fois qu'il l'avait vue, elle se battait contre les serviteurs de Nerissa.

On pouvait imaginer le pire.

Caleb se frotta les mains pour les réchauffer. Il en venait presque à souhaiter que le volcan crache encore de la lave, ce qui ferait fondre la glace et lui donnerait à la fois de l'eau à boire et un emplacement chaud pour dormir. Il n'avait pas bu ni dormi depuis des heures.

Soudain, dans une demi-inconscience, il sentit une présence.

Il aperçut alors une femme, ou, plus exactement, une créature qui avait dû être une femme autrefois... Maintenant, elle ressemblait plutôt à un squelette et son visage à une tête de mort. Ses cheveux pendaient en boucles filiformes presque jusqu'aux genoux, sur une robe pourpre en lambeaux qui cachait son corps décharné. Ses yeux brillants au regard fou le fixaient méchamment tandis que ses lèvres étirées en un sourire cruel dévoilaient ses dents gâtées.

— Tiens, tiens, tiens ! dit-elle.

Elle le regarda ainsi pendant un long moment, comme fascinée.

Caleb recula instinctivement.

— Qui es-tu ? demanda-t-il.

— Tu me déçois, Caleb, répondit-elle d'une voix rauque. Tu ne me reconnais donc pas ?

Comme Caleb se taisait, elle poursuivit :

— Je suis Nerissa ! Et je viens reprendre ce qui m'appartient !

Là-dessus, elle laissa échapper un sinistre éclat de rire.

Alors, Caleb rassembla toutes les forces qui lui restaient et se leva.

De ses doigts osseux, Nerissa le saisit par le menton et, comme si elle avait deviné ses pensées, s'écria :

— J'ai besoin des pouvoirs que tu possèdes !

— Tu n'obtiendras rien de moi ! rétorqua Caleb avec toute l'assurance dont il était capable.

- En es-tu vraiment certain ? ricana Nerissa.

Tout faible qu'il était, il sentit en lui une détermination inébranlable. « Je peux résister, se dit-il. Je ne lui donnerai jamais ce qu'elle demande, car elle s'en servirait contre

Cornelia et les autres Gardiennes. »

Il ferait tout pour préserver Cornelia du danger.

— Tu ne me crois pas ? Eh bien, vas-y, essaie !

L'ancienne Gardienne prit sa crosse munie à son extrémité d'un étrange symbole – une demi-lune transpercée d'un éclair. Caleb l'entendit marmonner :

— Je manque sans doute d'entraînement mais le mal, c'est comme le vélo, une fois qu'on a appris à en faire, on n'oublie jamais !

Enchantée de sa misérable plaisanterie, elle pouffa de rire.

Puis, brusquement, elle virevolta, jeta sa crosse en l'air, et en fit jaillir une lumière violente dirigée contre Caleb. Projeté brutalement en arrière, le garçon réussit à garder son équilibre mais, ne voyant pas Nerissa, il ne pouvait pas se défendre. La lumière aveuglante et les forces magiques qui l'entouraient la rendaient inatteignable.

La glace sous les pieds de Caleb commença à fondre, la lave se remit à bouillonner autour de lui et il se déplaça pour éviter les brûlures.

— Je ne t'ai pas donné l'autorisation de bouger ! hurla-t-elle.

Caleb vit alors Nerissa devant lui, comme électrisée par la rage, et, derrière elle, un groupe de monstres – son armée privée. Caleb les avait entrevus auparavant : Ember, la femme aux reflets de feu et aux ailes de métal, Tridart, le géant bleu, et Shagon, le monstre masqué avec des serpents à la place des cheveux. Nerissa jubilait.

— Je ne t'ai pas encore présenté à mes amis, dit-elle.

Puis elle secoua la tête et, feignant l'innocence, ajouta :

— Suis-je bête ! Vous vous êtes déjà rencontrés à Riddlescott, n'est-ce pas ?

En effet. Mais Caleb avait à peine eu le temps de les voir. Il se souvenait vaguement qu'ils l'avaient transporté au bout de la Terre après l'avoir assommé. De toute façon, il n'avait pas besoin de bien les connaître pour comprendre qu'ils étaient redoutables et sans pitié. Et il allait devoir les affronter seul.

Les monstres émirent d'inquiétants gargouillements. Ils devaient se consulter pour savoir comment ils allaient achever leur prisonnier.

Ils commencèrent à s'avancer et les Gardiennes n'avaient toujours pas donné signe de vie.

« Je suis perdu ! » se dit Caleb.

— Non ! cria-t-il tandis qu'ils l'encerclaient.

« Il faut que je trouve un moyen de les faire patienter encore un peu, songea-t-il, désespéré. Je ne suis pas sûr de réussir, mais je sais que je dois essayer. J'espère seulement que l'aide ne tardera pas à arriver... »

6

À Heatherfield, un autre garçon attendait, cherchant désespérément une petite rouquine parmi les élèves qui se pressaient dans la cour de l'Institut Sheffield. Matt réfléchit à ce qu'il lui dirait quand il la verrait. « Bonjour, Will !... Non, on croirait un prof. Ça ne va pas du tout. »

Vu le monde qu'il y avait autour, il ne fallait pas donner l'impression d'attacher trop d'importance à ces retrouvailles. Ce n'était pas le moment de raconter sa vie ou de jouer les amoureux transis. Il ne voulait pas pour autant aborder Will comme une banale connaissance. Il avait pensé à elle tout l'été !

« Voilà ! J'ai trouvé ! » se dit-il soudain. Il prononça les mots tout haut pour voir l'effet que ça faisait :

NON LOIN DE LÀ...

SALUT, WILL !

NON, PAS ÇA...

TU M'AS MANQUÉ !

C'EST MIEUX !

— Will, tu m'as manqué !

« Oui, c'est nettement mieux », décida-t-il.

Maintenant, il s'agissait de trouver Will. Normalement, les élèves arrivaient à l'école le plus tard possible. Mais le jour de la rentrée, c'était différent. Tout le monde arrivait tôt pour échanger les nouvelles de l'été avant la distribution des livres et des emplois du temps.

Les groupes habituels se reformaient. Matt vit les sportifs qui jouaient au frisbee dans un coin de la pelouse. Il aperçut aussi des garçons de son groupe de musique et la fille qui avait été sa partenaire au labo l'année précédente en cours de science. Mais pas de Will !

Où pouvait-elle être ? Elle lui avait raconté comment sa mère avait failli être mutée hors d'Heatherfield et, finalement, ce transfert n'avait pas eu lieu. Will devait donc être quelque part. Il mit sa main en visière au-dessus des yeux et continua à chercher.

Il se rendait compte à quel point il tenait à elle. Quand il l'avait emmenée au Lovelyday, un des restaurants les plus chics de la ville, et qu'il avait oublié son portefeuille, elle s'était montrée vraiment cool, acceptant sans broncher de changer d'endroit et même de payer son hamburger. Jamais, il ne s'était senti aussi à l'aise lors d'un premier rendez-vous, et il se mordait les doigts de ne pas l'avoir embrassée quand il l'avait raccompagnée.

Il y avait pourtant une question qui le préoccupait : Will éprouvait-elle les mêmes sentiments que lui ? Tout s'était bien passé lorsqu'elle était en vacances chez Irma. Ils avaient échangé des SMS toute la semaine. À son retour, il avait téléphoné chez elle et était tombé sur Collins, leur prof d'histoire. Will n'était pas là, ce qui n'était pas grave. Mais ensuite, il lui avait dit qu'il la voyait monter sur la moto d'un garçon !

Les semaines suivantes, Matt avait essayé d'oublier l'incident. Il savait que le courant était passé entre eux, au restaurant et dans leurs messages. Ils s'entendaient si bien... Pourtant, malgré lui, il se posait des questions : aimait-elle quelqu'un d'autre ? Le faisait-elle marcher ? Même s'ils ne sortaient pas vraiment ensemble, ce n'était pas une raison pour voir un autre garçon derrière son dos. Ces incertitudes le minaient.

Malheureusement, il n'avait pas eu l'occasion de parler à Will depuis les révélations de M. Collins. Elle avait passé le reste de l'été avec sa mère dans un coin perdu où les liaisons téléphoniques étaient mauvaises, et il n'avait pas réussi à la joindre. Maintenant, tout excité à l'idée de la revoir, il était prêt à lui accorder le bénéfice du doute.

«Mais il faut vraiment qu'on se parle, se dit-il. Et ça m'inquiète un peu. Après tout, il se peut qu'elle ait changé d'avis pendant l'été...»

L'idée d'un rejet lui semblait insupportable.

Il parcourut la foule du regard et, ne la voyant toujours pas avec ses amies, il sentit son estomac se nouer. Tout à coup, il les aperçut!

Will était avec Cornelia, Irma, Hay Lin et Taranee, de l'autre côté des grilles. Il y avait aussi un inconnu avec elles : un garçon aux cheveux bruns ondulés et au sourire béat, vêtu d'un T-shirt violet. Matt n'y attacha pas trop d'importance jusqu'au moment où il remarqua que ce garçon tenait la main de Will! Peut-être se serraient-ils simplement la main... Mais, ça durait bien longtemps, semblait-il. Bien trop longtemps, aux yeux de Matt.

«C'est sûrement le type à la moto, se dit-il avec un pincement de cœur. Il a cet air relax et sûr de lui qui ne trompe pas.»

Il s'approcha du groupe, et ce qu'il entendit ne fit qu'aggraver la situation. Will riait et disait au garçon :

— Bon, c'est décidé, Éric. Tu t'assiéras près de moi !

— Tu verras, tu te plairas, ici ! ajouta Cornelia.

— Il est vraiment super ! dit à son tour Hay Lin, la plus enthousiaste.

Matt était écœuré. Qu'avait donc fait ce garçon pour mériter toutes ces attentions ? Avait-il emmené Will dans un meilleur restaurant ? Lui avait-il envoyé plus de messages que Matt ? Pourquoi Will se promenait-elle avec un autre type avant même de lui avoir dit que c'était fini entre eux ?

Tous les espoirs de Matt se volatilisèrent d'un seul coup. Il avait envie de partir sans lui parler. En même temps, il ne voulait pas avoir l'air de donner à Will plus d'importance qu'elle n'en méritait.

Il essaya de se raisonner. « Je m'en veux. J'aurais dû me douter que ça arriverait... Les femmes sont toutes pareilles, songeait-il, furieux. Après tout, qu'elle sorte avec le type au T-shirt violet si ça lui plaît... mais qu'elle ne compte plus sur moi ! Je ne suis pas du genre à jouer les seconds rôles. De toute façon, je m'en remettrai ! Et ça m'apprendra une fois de plus à me méfier de ce que disent les filles ! »

Will ne s'était jamais sentie aussi nerveuse. Elle essayait tant bien que mal de ne pas le montrer, tout en sachant que ses amies n'étaient pas dupes.

« Elles voient bien que je ne suis pas dans mon état normal, se dit-elle. Mais Matt ? Va-t-il se rendre compte de quelque chose ? J'aimerais qu'il sache qu'il me plaît, et pourtant je ne peux pas lui dire que je pense tout le temps à lui depuis notre dernière rencontre. Ah, là, là, quel problème ! »

Tout à coup, Hay Lin s'écria :

— Le voilà !

Will se sentit rougir jusqu'à la racine des cheveux. C'était sûrement Matt qui arrivait ! Elle avait attendu ce moment-là tout l'été.

Mais, soudain, elle s'aperçut que Hay Lin regardait quelqu'un d'autre : un grand échalas brun, aux cheveux ondulés et au regard chaleureux, que Will voyait pour la première fois. Il se dirigeait vers Hay Lin, les mains enfoncés dans les poches. Elle remarqua son T-shirt violet et sa démarche décontractée, un peu comme celle de Matt.

— Salut, Hay Lin, s'écria-t-il.

Il les salua l'une après l'autre sans attendre les présentations.

— Tu dois être Will, dit-il d'une voix alerte en lui serrant la main avant d'en faire autant avec Taranee, Cornelia et Irma. Ravi de vous connaître !

LE VOILÀ...

IL N'EST PAS SUPER, DITES ?

SALUT, HAY LIN !

VOUS ÊTES WILL, TARANEE...

CORNELIA ET...

... IRMA ! SALUT !

IL S'APPELLE ÉRIC LYNDON !

«Hay Lin a dû lui parler de nous», songea Will.

— Je vous présente Éric Lyndon, dit Hay Lin.

Will se réjouissait de voir leur amie amoureuse et Éric lui faisait une très bonne impression. Elle lui tendit la main et sa chaleureuse poignée de main la rassura – comme s'il voulait lui faire sentir qu'il traiterait bien Hay Lin.

C'est alors qu'Irma lui donna un coup de coude et se pencha vers elle.

— Hé, Will, murmura-t-elle, regarde qui est là !

Avec un petit sourire complice, elle fit un signe de tête en direction du portail. Matt s'apprêtait à traverser la foule. Il ne l'avait pas encore vue.

Will prit une profonde inspiration et expira doucement. N'osant plus vérifier sa coiffure ou quoi que ce soit, elle essaya de se calmer et fit semblant d'être absorbée par les jeunes qui jouaient au frisbee.

«J'espère qu'il a pensé à moi autant que j'ai pensé à lui ! se dit-elle. Ce serait un bon début d'année scolaire ! »

Lorsque Matt s'approcha, elle se tourna vers lui, prête à lui accorder toute l'attention qu'il méritait mais sans montrer non plus trop d'empressement. Irma gâcha tout en se précipitant vers lui.

— Ma-a-a-att ! Quelle surprise ! s'écria-t-elle,

— Du calme, Irma ! marmonna Will.

Pourquoi Irma se jetait-elle ainsi à la tête de son ami ?

Mais Matt, apparemment, n'avait rien remarqué. Il jeta un coup d'œil du côté des filles et les salua en vitesse.

— Salut, Irma, salut Will !

Puis il se dirigea tout droit vers Éric comme s'il avait un problème à régler avec lui.

— Tu ne me présentes pas à ton ami ? grommela-t-il à l'intention de Will.

Will faillit se trouver mal. « Qu'est-ce qui lui prend ? » s'inquiéta-t-elle. Elle n'avait vraiment pas prévu ça et ne comprenait rien à cette attitude.

Éric ne paraissait pas percevoir l'hostilité du ton de Matt. Il se contenta de sourire.

— Salut, dit-il. Je m'appelle Éric.

Hay Lin lui passa le bras autour des épaules et ajouta gauchement :

— Euh... oui... bon... Éric est dans la classe de Will et Cornelia, cette année.

Hay Lin avait manifestement senti que quelque chose n'allait pas du côté de Matt.

«Alors, je n'ai pas rêvé», se dit Will.

Matt ne prit pas la peine de se présenter ni de rendre son sourire à Éric. Il croisa les bras, le regard fixé droit devant lui et l'air furieux.

Will se retint pour ne pas pleurer.

«Qu'est-ce qu'il a? s'inquiéta-t-elle. Je ne l'ai pas vu depuis des semaines! Je n'ai rien à me reprocher! Quel est donc le problème?» Elle se demanda si elle devait lui parler maintenant. Mais elle était incapable de prononcer le moindre mot. Elle se tourna vers ses amies avec un regard suppliant qui signifiait: «Vous, dites quelque chose!» Mais personne ne réagit.

Personne, sauf Martin Tubbs, l'éternel soupirant d'Irma, qui venait d'arriver et qui, pour une fois, tombait à pic.

— Hé, les gars! s'exclama-t-il. Qu'est-ce que c'est que ces têtes d' enterrement?

Will était tellement perturbée par l'attitude de Matt qu'elle accueillit Martin comme un sauveur. «Voilà qui va nous changer!» se dit-elle. Mais Irma n'était pas de cet avis.

— Dégage, Martin! lui lança-t-elle sèchement.

Martin s'approcha d'elle.

— Tu regrettes déjà les vacances, mon trésor? demanda-t-il gentiment. N'aie pas peur, Martin est là!

Will crut un instant qu'il allait l'embrasser. Berk!

Irma leva les yeux au ciel et fit comme si elle n'avait rien entendu. N'importe qui d'autre aurait compris, mais pas Martin. Il aperçut Eric et continua :

— Oh, un nouveau dans le groupe, je vois! dit-il en esquissant une révérence. J'espère qu'elles t'ont reçu avec tous les honneurs.

Éric haussa modestement les épaules.

— Oh, tu sais..., balbutia-t-il.

Will n'entendit pas le reste de sa réponse, car Irma se dirigea soudain à grands pas vers l'endroit où se trouvait Matt, qui boudait, le dos tourné.

— Ça suffit, maintenant, espèce de rabat-joie! lui dit-elle fermement.

« Elle me défend, se dit Will. C'est le rôle des amies. Mais ce n'est pas une raison pour lui parler sur ce ton. Elle ne va pas se mettre en colère contre lui, quand même! » Will ne demandait à personne de prendre sa défense, surtout pas à Irma, avec son tempérament impétueux ! Elle ne souhaitait qu'une chose : rentrer se cacher dans les toilettes et faire comme si rien de tout ça ne s'était passé.

— Aïe, fit Matt, d'un ton sarcastique.

Martin écarquilla les yeux.

— Irma, ma douce ! roucoula-t-il. Qu'est-ce que tu as ?

Matt compatit avec Martin.

— Oui, quelle mouche l'a piquée ?

« Et toi, alors ? » faillit rétorquer Will, sentant les larmes lui monter aux yeux. C'est alors qu'Irma la prit par la main et l'entraîna plus loin avec les trois autres filles.

Irma et ses quatre amies s'arrêtèrent sous la fenêtre de la directrice à l'angle du bâtiment. Là, elles seraient tranquilles. Personne ne se réunissait à cet endroit, sauf absolue nécessité.

Will sanglotait à présent. Elle avait réussi à tout gâcher entre elle et Matt, sans même savoir comment ! Elle avait sûrement commis une erreur quelque part – mais où ? Elle s'en voulait de ses maladresses et elle était encore plus en colère contre Matt.

« Quand je pense à tout ce temps que j'ai passé à rêver de lui cet été ! se dit-elle en se mouchant. Comment ai-je pu être aussi bête ? Qu'est-ce que j'ai bien pu lui trouver, d'ailleurs ? »

Elle n'oublierait jamais qu'il était passé à côté d'elle sans la regarder, comme si elle n'existait pas. Ni la manière dont il s'était moqué d'Irma qui tentait de lui venir en aide !

— Tu as vu ça ? s'indigna-t-elle, tandis que Taranee la serrait dans ses bras. Il ne m'a même pas dit « bonjour » !

— Peut-être y a-t-il une explication, dit Taranee pour la consoler.

« J'espère bien, songea Will. Sinon, je devrai changer d'école. Je ne peux pas passer toute l'année en me sentant rejetée ! »

— Ne t'en fais pas, la rassura Cornelia. Tout va s'arranger, j'en suis sûre.

— Quelle histoire ! fit Irma d'un air accablé.

Will esquissa un sourire et se rappela soudain qu'il faudrait bientôt entrer en classe. « Pas question que Matt me voie ainsi ! » décida-t-elle. Elle ravala le reste de ses larmes et appliqua contre son front une bouteille d'eau qu'elle avait prise dans son sac. Le froid ferait peut-être dégonfler ses yeux. Il ne fallait surtout pas perdre la face.

Devant les visages soucieux de ses amies, elle sentit monter en elle une vague de reconnaissance. « Que ferais-je sans vous ? pensait-elle. Comment pourrai-je jamais vous remercier ? » Elles l'avaient entraînée à l'écart juste au moment où elle allait craquer en public – le jour de la rentrée ! Elles avaient sauvé sa réputation vis à vis de l'école et de Matt.

« Il ne m'aimera plus, se dit Will, mais au moins j'entrerai dans l'école la tête haute ! Il ne me verra pas pleurer ! »

Driiiiing !

— La sonnerie ! s'écria Hay Lin. Il faut y aller, maintenant !

— Oh, du calme ! dit Irma, s'adressant plus à la sonnerie qu'à Hay Lin.

Cela lui était bien égal d'être un peu en retard.

Soudain, avec un plop assourdissant, la sonnerie s'arrêta. À travers ses larmes, Will sourit à ses amies. C'était une tradition à l'Institut Sheffield de saboter la sonnerie pour qu'elle tombe en panne le jour de la rentrée.

Tout le monde savait que la directrice et le surveillant général luttaient contre cette habitude, mais les élèves parvenaient toujours à leurs fins.

« Certaines choses ne changeront jamais, songea Will. Comme le sabotage de la sonnerie et la force de notre amitié. Les garçons vont et viennent, mais mes amies seront toujours là pour me soutenir. »

8

À des mondes de distance, dans un lieu où aucune cloche n'avait sonné depuis des siècles, on n'entendait que le rugissement du vent, le jaillissement de la lave et les cris occasionnels du seul habitant humain, qui y était retenu prisonnier.

Au cœur de ces terres désolées, bouillonnait un volcan, prêt à se réveiller. Il était entouré d'une couche de glace impénétrable, au-dessus de laquelle se dressaient de gigan-tesques éperons glacés. La glace recouvrait tout jusqu'à la moindre branche du plus petit arbre, y compris le cœur de celle qui régnait sur ce royaume, la redoutable Nerissa.

« On ne peut pas appeler ça un royaume, songeait-elle avec rage. C'est une prison de glace aussi stérile et dure que mon âme. »

Nerissa ne connaissait plus ni contente-ment ni plaisir. Mais, en ce moment précis, elle n'avait aucune raison de se plaindre. Jusque-là, tout se déroulait selon ses plans. Ses serviteurs, Ember, Tridart et Shagon, avaient capturé le Héraut de Kandrakar sur la terre et le lui avaient ramené. Ils lui avaient également appris que Luba, elle aussi, s'intéressait au prisonnier.

Nerissa se souvenait bien de la Gardienne des Auras. Elle l'avait connue quand elle était elle-même Gardienne. Naturellement, il n'était pas question de lui laisser le champ libre. Ember était donc partie à sa recherche et l'avait retrouvée au lac de Riddlescott. Là, elle l'avait terrassée et marquée à jamais du signe de Nerissa.

«Mais Luba n'est pas morte, songea Nerissa, et je dois continuer de la surveiller. En tout cas, elle sait, à présent, que les pouvoirs du Héraut me sont exclusivement destinés! Quand on la ramènera à Kandrakar, elle portera sur elle la preuve tangible que je vais bientôt passer à l'attaque. Comme j'aimerais la voir condamnée pour avoir tenté d'utiliser le Héraut contre l'Oracle! Ils devraient me remercier d'être intervenue.»

Nerissa se frotta les mains en pensant à ce qu'elle allait faire ensuite. Elle se leva péniblement en s'appuyant sur un bâton de glace.

« Je dois revoir le Héraut ! décida-t-elle. Je dois le convaincre de me donner ses pouvoirs. Je pourrais utiliser la torture pour accélérer les choses, mais ce serait beaucoup mieux s'il se rendait de son propre chef. Je dois conserver la totalité de mes forces et réserver mes précieux pouvoirs magiques pour mon grand dessein final ! »

Elle s'avança lentement vers l'endroit où se trouvait le prisonnier, et entendit ses cris.

— Ils ne peuvent pas me faire ça ! gémissait-il.

« Il a peur, se dit Nerissa avec un malin plaisir. Et il y a de quoi ! »

Les plaintes du prisonnier cessèrent quand Nerissa fut devant lui. Imitant les manières du beau monde, elle demanda à ses serviteurs :

— Comment va notre hôte, aujourd'hui ? J'espère qu'il ne se sent pas trop délaissé...

Insensible à cette comédie, le garçon ferma les yeux pour ne pas la voir. Nerissa ne cachait pas sa joie.

— Nous t'avons préparé un si chaleureux accueil, Caleb, reprit-elle. Tu pourrais au moins montrer un peu de reconnaissance !

Comme il restait muet, Nerissa se fâcha.

— Tu n'as donc rien à me dire ? lui lança-t-elle avec des éclairs dans le regard.

Il ouvrit alors les yeux.

— Si, murmura-t-il. J'ai soif !

Nerissa éclata de rire et se tourna vers ses serviteurs.

— Vous entendez ça ? Notre petit Caleb a soif !

Tridart se pencha vers lui avec un sourire narquois.

— Je vais te donner satisfaction, mon ami ! dit-il d'un ton sarcastique.

Nerissa avait créé ce serviteur avec la glace qui entourait sa demeure volcanique. C'était tout à fait l'homme de la situation.

Il déploya ses ailes et, quand il les replia, un morceau de glace s'échappa de l'une d'elles et atterrit dans la cellule de Caleb.

— Après tout, on ne peut refuser à un condamné d'exaucer son dernier vœu, dit Nerissa d'un ton méprisant, tandis que Caleb faisait un bond de côté pour éviter le bloc de glace.

Il avait retrouvé une certaine vivacité.

— Tu te trouves drôle, hein ? dit-il d'une voix grinçante.

— J'essaie juste d'être gentille, Caleb ! insista Nerissa, sans chercher à dissimuler un ton de plus en plus sarcastique. Ce morceau de glace est toute l'eau que tu auras à boire ! Vas-y, bois !

« Mon hospitalité ne durera pas, ricana-t-elle intérieurement. Crois-moi, quand je passerai à l'action, tu ne tiendras pas longtemps. Ce ne sera pas de l'eau que tu demanderas alors, mais tu supplieras qu'on te laisse la vie sauve ! »

L'Oracle se tourna vers le bassin qui lui avait souvent renvoyé des images des Gardiennes sur la terre. Dans les miroitements de l'eau, il pouvait observer n'importe quel point de l'univers. À présent, il voulait voir comment le Héraut s'en tirait avec Nerissa.

Soudain, il plissa le front. La scène qui se déroulait au Mont Thanos venait d'apparaître sous ses yeux, et la souffrance qu'il lisait sur le visage de Caleb lui était insupportable.

« C'est vraiment terrible. Mais, pour l'instant, je n'y peux rien. Espérons seulement que les événements suivront leur cours comme je l'ai prévu. »

Pendant de nombreux millénaires, l'Oracle avait dû prendre des quantités de décisions difficiles et impopulaires. Mais celle-ci lui paraissait peut-être encore plus dure que les autres.

Il encouragea le garçon tout bas.

— Sois fort, Caleb ! Celle qui peut t'aider n'est pas encore prête ! Cela prendra plusieurs jours... peut-être des semaines...

Caleb devait tenir encore un peu. Si c'était possible...

L'Oracle entendit des pas près de lui. Il ne souhaitait pas être dérangé en cet instant, même par sa fidèle amie, Yan Lin. Mais elle était là, les bras croisés et les sourcils froncés. L'Oracle avait senti son mécontentement avant même qu'elle ait prononcé un mot.

— Qu'attendons-nous ? s'écria-t-elle.

Elle avait aussi aperçu Caleb maltraité par Nerissa et elle ne comprenait pas les hésitations du maître de Kandrakar.

La question de Yan Lin était justement celle qui préoccupait l'Oracle et pour laquelle il n'avait pas de réponse.

— Nous en avons déjà discuté, Yan Lin, répondit-il d'un ton las.

— Mais c'est de la folie! insista-t-elle. Rien de bon ne peut sortir d'une telle décision.

L'Oracle leva la main pour l'interrompre.

— Tu sais parfaitement ce que j'ai décidé.

Le visage de Yan Lin s'assombrit et elle baissa les yeux. Elle ne bougeait pas, et l'Oracle savait qu'elle n'en avait pas fini avec lui.

— Contestes-tu ma position? lui demanda-t-il lentement.

Ce qui aurait été tout à fait contraire aux traditions d'ordre et de paix de Kandrakar.

Yan Lin se tordait les mains nerveusement. De toute évidence, la situation la perturbait profondément. Entre eux, pourtant, les désaccords étaient rares.

— Pardonne mon insolence, Oracle ! Je crains que ta confiance aie été mal récompensée.

Ce n'était pas vraiment des excuses, mais Yan Lin reconnaissait qu'elle avait pris des libertés inhabituelles. L'Oracle avait de grandes capacités de pardon... et un faible pour Yan Lin. Il ne lui en voulait pas, mais il souhaitait sincèrement pouvoir lui faire accepter son point de vue.

« Je vais avoir besoin de tous les Sages à mes côtés lorsque nous combattrons Nerissa et les forces du mal, se dit-il. Et lorsque nous remettrons tous nos espoirs entre les mains du jeune Héraut... et des Gardiennes. »

Il l'entraîna vers un autre endroit d'où on avait une splendide vue sur le Temple. Le regard tourné vers Kandrakar, il semblait dire : « Voilà tout ce que nous devons préserver... tout ce qui est en jeu dans le combat qui nous attend. »

— La personne a été choisie, déclara-t-il. Ce n'est plus le moment d'en discuter. Nous devons accepter ce qui doit arriver. Il n'y a pas d'autre choix.

Avec un peu de chance, Yan Lin cesserait de l'interroger et respecterait ses vœux quelque temps encore. Il espérait seulement qu'il y aurait assez de temps pour que son plan réussisse.

10

La première journée d'école était enfin termi-
née. Maintenant, on allait pouvoir s'occuper
de choses plus importantes. C'est du moins
ce que pensait Taranee.

Avant de rejoindre ses amies chez Will, elle
s'était arrêtée dans une petite confiserie à
deux pas de l'Institut Sheffield pour acheter de
quoi égayer un peu cette triste journée. Elle
avait choisi quelques douzaines de chocolats

qu'on lui avait mis dans une grande boîte bleue : trois couches de chocolats non fourrés et sans noisettes ! Juste comme elle les aimait. Du pur chocolat. De quoi réparer un cœur brisé... ou, en tout cas, contenter les gourmandes.

En traversant Heatherfield, Taranee passa devant le Lovelyday, le restaurant où Matt et Will avaient passé une partie de leur première soirée ensemble. Là où Matt s'était aperçu qu'il avait oublié son portefeuille. Mais, heureusement, tout s'était arrangé sans problème.

« Qui aurait pensé que les choses s'envenimeraient maintenant ? se dit Taranee tristement. Qui aurait cru qu'ils se disputeraient le jour de la rentrée ? Ils semblaient si bien s'entendre ! »

Elle se rappelait encore sa première impression de Matt lorsqu'elle était arrivée à Heatherfield... son côté cool avec ses longs cheveux et ses tenues savamment négligées. Il était vraiment craquant. À ce moment-là, elle ignorait qu'il était le guitariste d'un groupe qui avait joué en première partie d'un concert de Karmilla !

En fait, il ne pensait pas qu'au rock, loin de là. Comme Will, il s'intéressait aux animaux et travaillait à l'animalerie de son oncle. Taranee appréciait son sens de l'humour et sa façon de s'exprimer. Elle s'en était aperçue dans les messages qu'il envoyait à Will quand elles étaient au bord de la mer. Elle aurait bien aimé que quelqu'un – par exemple Nigel – lui envoie des messages aussi gentils ! Tout semblait marcher parfaitement entre eux... Alors, que s'était-il passé ?

Taranee, qui avait beaucoup appris à travers les livres, était sûre qu'il y avait une explication à l'étrange comportement de Matt.

Avec son sens de l'analyse, elle finirait bien par la découvrir mais, pour l'instant, une seule chose comptait : soutenir le moral de Will. On aurait le temps de s'occuper de Matt après le chocolat...

Elle prit l'ascenseur, monta jusqu'à chez Will et pénétra dans l'appartement. Tout était silencieux. En arrivant au salon, elle trouva ses amies affalées sur le canapé et Will qui marchait de long en large. Taranee interrogea Hay Lin du regard pour savoir ce qui se passait. Hay Lin se contenta de hausser les épaules. Elles semblaient simplement attendre que Will rompe le silence.

Sans bruit, Taranee posa la boîte de chocolats sur la table basse. Aussitôt, ses amies se jetèrent dessus comme une meute de loups affamés. Taranee en mangea un, puis un autre, tout en se remémorant la scène du matin à l'école.

La matinée avait été si riche en événements qu'elle n'avait pas eu tellement le temps de penser à Eric, la récente conquête de Hay Lin. Il lui avait paru gentil – une qualité appréciable chez un garçon – et il avait vraiment l'air de vouloir les connaître, ce qui était bon signe.

«Ainsi, nous avons toutes trouvé le garçon de nos rêves. Qui l'aurait cru ? Peut-être qu'un jour nous sortirons toutes les cinq ensemble, chacune accompagnée de son copain ! »

Cette idée l'amusa. Elle passa en revue dans sa tête les couples ainsi formés : Hay Lin et Eric, qui en étaient encore à se découvrir, Will et Matt... il était trop tôt pour les barrer de la liste. Taranee savait qu'elle ne pouvait considérer Martin comme le petit ami d'Irma, mais parfois elle se posait des questions... et Martin avait à n'en pas douter un gros faible pour Irma. En tout cas, Irma se trouverait toujours quelqu'un... « Et moi ? » songea-t-elle. Elle pouvait compter sur Nigel, mais elle espérait bien le voir davantage cette année...

Subitement, elle eut l'étrange impression d'oublier quelque chose d'important qui s'était passé pendant l'été. Qu'était-ce donc ? Elle revoyait le cabanon d'Irma et la station de montagne de Sesamo où elle était allée avec sa famille, mais il manquait quelque chose. Taranee avait beau fouiller sa mémoire, elle ne pouvait se défaire de l'idée qu'un événement important s'était produit pendant ces vacances. Irma se mit alors à marmonner la bouche pleine :

— Un... deux... crois... ...chinq... chix...

Prenant une nouvelle bouchée, elle continua :

— Chept... huit...

— Arrête, Irma ! s'impatienta Cornelia.

— Qu'est-ce qui te gêne? rétorqua Irma, visiblement contrariée. Will fait les cent pas et je compte...

Cette nouvelle prise de bec entre Cornelia et Irma fut interrompue par Will.

— Quelle gourde! Quelle gourde! lança-t-elle, appuyée contre la fenêtre, les bras croisés au-dessus de la tête.

Manifestement, elle se parlait à elle-même.

— Ne sois pas si sévère avec toi-même, dit gentiment Taranee.

Will était leur chef. Il ne fallait pas qu'elle craque maintenant... surtout à cause d'un garçon! Elle avait affronté de tas de situations autrement plus graves!

Cornelia semblait du même avis.

— Je comprends que tu aies besoin de te défouler, Will! Mais Taranee a raison... tu n'y es pour rien!

Puis, devant ses compagnes étonnées, Cornelia courut vers Irma, fit mine de la ceinturer et, avec un grand sourire, ajouta:

— Tu sais, Will, tu peux toujours t'en prendre à Irma. Ça te ferait peut-être du bien. Moi, en tout cas, ça me soulage. Si j'étais toi, c'est ce que j'aurais déjà fait!

Cornelia avait l'air assez sérieuse, et Taranee se demanda si elle devait intervenir.

— Arrête ! criait Irma en se tortillant pour se dégager. Je ne plaisante pas, Corny ! Ça suffit !

Mais Cornelia la tenait fermement.

« J'aimerais bien qu'elles cessent de se chamailler, ces deux-là ! » se dit Taranee. La voyant soucieuse, Hay Lin s'approcha d'elle.

— Tu veux que je fasse du thé ?

C'était son remède miracle quand le moral des troupes était trop bas.

Taranee hocha la tête. Elle n'avait rien de mieux à suggérer.

Entendant la proposition de Hay Lin, Will tourna la tête. Hay Lin la regarda d'un air rassurant et ajouta à son intention :

— C'est mon thé spécial ! Tu sais, celui qui t'aide à digérer... même la bêtise des garçons !

Pendant qu'elle partait vers la cuisine, Will quitta la fenêtre, prit un kleenex pour se moucher, s'essuya les yeux et dit d'une voix plus calme :

— J'espérais vraiment que Matt et moi...

— Je suis sûre qu'il y a une raison à son comportement, se hâta de dire Taranee.

Là-dessus, Will se remit à pleurer.

— Je le déteste ! lança-t-elle. Oui, je le déteste !

Ses amies savaient qu'il n'en était rien, et Will elle-même le savait, mais elle se mit à sangloter de plus belle.

Taranee rejoignit Cornelia et Irma sur le canapé, pensant que, peut-être, Will préférait ne pas parler.

Taranee pouvait le comprendre car elle-même ne se livrait pas facilement.

« Mais j'évolue, songea-t-elle. Il y a encore peu de temps, j'étais une vraie trouillarde. J'avais peur des situations nouvelles et j'étais super timide. Maintenant, je ne suis plus du tout comme ça. »

Elle se rappelait les ennemis redoutables que ses amies et elle avaient affrontés et tous les gens qu'elles avaient sauvés. Il lui semblait quand même plus facile de prendre le téléphone et de demander à Matt de s'expliquer... C'est ce qu'elle avait envie de dire à Will.

« La vie était moins compliquée pendant les vacances ! » se disait-elle. Chez Irma, elles s'amusaient à parler de garçons, à les appeler et à plaisanter à leur sujet. Loin d'eux, elles étaient finalement plus tranquilles !

Will contourna le canapé et vint se jeter aux pieds de ses amies.

— Comment pouvez-vous me supporter, les filles ? demanda-t-elle, les coudes appuyés sur les genoux de Cornelia.

— On supporte Irma, mais toi, on t'adore ! répondit Hay Lin, qui revenait chargée d'un plateau avec cinq tasses de thé fumant, juste à temps pour égayer l'atmosphère.

— Hé ! protesta Irma, tandis que Will esquissait un timide sourire.

— Bien dit, Hay Lin ! se réjouit Cornelia.

Taranee se rappela alors qu'elle avait dans sa poche son mouchoir porte-bonheur.

Les mouchoirs n'étaient plus très à la mode, elle le savait, mais celui-ci lui avait été offert par sa grand-mère et elle y était attachée. En plus, il allait avec la blouse romantique qu'elle avait mise pour la rentrée – espérant que Nigel la remarquerait.

Elle tendit le mouchoir à son amie.

— Allez, Will ! dit-elle. Sèche tes larmes !

11

Éric Lyndon descendait l'escalier du bâtiment principal de l'Institut Sheffield derrière Martin Tubbs. Après une journée passée à apprendre des noms, à sourire aux uns et aux autres et à essayer de ne pas se perdre, il était épuisé.

« Parfois, j'en ai assez de faire tous ces efforts d'adaptation à chaque déménagement, songeait-il. À force, on se lasse d'être toujours le nouveau. Ce serait bien de commencer une année dans le même établissement que l'année d'avant. »

Heureusement, cette fois, il y avait Hay Lin... et aussi ses amies dont elle lui avait beaucoup parlé. Elles étaient super sympas. Il avait vite compris que les cinq filles formaient un groupe très soudé. Irma était bien la fille pétillante que Hay Lin lui avait décrite, et Taranee, la fille studieuse et douce. Cornelia, la « populaire » du groupe, correspondait exactement à ce qu'il attendait – belle et pourtant tout à fait accessible. La seule qui lui avait paru d'un contact plus difficile était Will. « On aurait dit que quelque chose la tracassait, se dit Éric en se rappelant leur rencontre. Un problème avec ce garçon prénommé Matt, peut-être ? »

Une fille de son ancienne école lui avait dit un jour qu'il était doué pour comprendre les gens. Elle l'avait qualifié d' « intuitif ». Éric ne se serait jamais décrit ainsi lui-même, mais il est vrai qu'il repérait certains traits de caractère chez les autres avant même de bien les connaître, comme s'il les sentait d'instinct. Hay Lin lui avait plu au moment même où il avait failli la heurter avec sa moto. Il s'était aussi déjà fait une idée de Martin Tubbs qui, à première vue, ne représentait pas l'élève type de Sheffield. Il lui avait paru gentil et ouvert, quoique un peu bizarre. Un original, en somme. Mais, après avoir rencontré tant de gens qui se ressemblaient, Éric trouvait la personnalité de ce garçon rafraîchissante.

Martin, pour sa part, ne semblait pas du tout souffrir de son excentricité. Il était toujours prêt à rendre service. Dès qu'il avait appris qu'ils habitaient dans le même quartier, il avait proposé à Éric de lui indiquer un raccourci pour rentrer chez lui et de lui signaler les endroits intéressants sur le trajet.

— Où habitais-tu avant de venir ici ? lui demanda Martin alors qu'ils traversaient une rue animée.

On lui avait déjà posé cette question cent fois.

— J'ai vécu en Scandinavie pendant deux mois, expliqua Éric patiemment. Mes parents travaillaient sur un projet de recherche spatiale.

Il pensait que la recherche spatiale intéresserait Martin et espérait éviter ainsi d'autres questions du genre « d'où viens-tu ? ».

Il ne s'était pas trompé. En entendant les mots « recherche spatiale », Martin s'arrêta net.

— C'est vrai ? s'exclama-t-il. Les Ours Joyeux adorent les histoires de recherche spatiale. On a justement une réunion, aujourd'hui... Tu veux venir avec moi ?

«Ah, se dit Éric en souriant, ça explique l'uniforme.» Mais il n'avait jamais entendu parler des Ours Joyeux. Était-ce un groupe d'Heatherfield? Éric eut le sentiment qu'il valait mieux ne pas poser trop de questions s'il ne voulait pas en faire partie. Martin paraissait un peu trop pressé de lui coller un uniforme sur le dos. Il préféra répondre sur le mode humoristique.

— Je ne viendrai que si je peux avoir un uniforme exactement comme le tien !

— Pas mal, hein? fit Martin, tout fier, en touchant son foulard soigneusement noué autour du cou. Tu n'imagines pas l'effet qu'il produit sur les filles !

— Sur les filles? répéta Éric. Irma, par exemple?

Martin devint rouge comme un coquelicot.

— Oh, Irma est habituée aux uniformes. Son père est policier. Avec elle, il me suffit d'utiliser mon charme irrésistible.

Éric sourit doucement. Il s'amusait par avance du récit qu'il ferait à Hay Lin de sa conversation avec Martin. Il consulta sa montre : il était encore trop tôt pour lui télé-phoner. Elle lui avait dit de ne pas appeler au restaurant avant le dîner. Il soupira : il devait encore patienter un bon bout de temps.

Ils franchirent une passerelle au-dessus de la rue. Martin se tut un moment et Éric en profita pour regarder le paysage. Le centre-ville faisait place à des rues résidentielles plus calmes. On était bien loin des solitudes glacées où il avait passé les derniers mois avec sa famille.

« Je me demande si j'arriverai à me sentir chez moi, ici, se dit-il. Il y a longtemps que je n'ai pas vécu dans une ville. Enfin, avec Hay Lin et ses amies, ce ne sera peut-être pas si mal. »

Le cours de ses pensées fut interrompu par Martin qui reprenait son monologue sur l'art de séduire les filles.

— Si tu veux, je te donnerai des leçons, dit-il en regardant Éric comme s'il attendait une réponse.

Éric décida de jouer le jeu et de voir où ça le menait.

— Tu n'as pas peur de la concurrence ? demanda-t-il à Martin.

— Pas du tout ! dit Martin. Avec toi, je n'ai rien à craindre. Je te fais confiance.

Puis il changea de sujet, comme soudain pris d'un doute.

— Tu viendras au feu d'artifice ? demanda-t-il.

« Il pense peut-être y retrouver Irma, se dit Éric. Et Hay Lin y sera peut-être aussi... » Il rêvait encore de la soirée qu'il avait passée avec elle à regarder les étoiles filantes. Les feux d'artifice étaient presque aussi romantiques.

— Hé, pourquoi pas ? répondit-il évasivement. Quand est-ce ?

— Après-demain. Et si Irma n'a pas réduit le guitariste en compote, Cobalt Blue jouera, dit Martin en rougissant de nouveau.

Éric fit vite le rapport. Irma s'était emportée contre ce garçon appelé Matt qui, apparemment, avait fait de la peine à Will.

— Cobalt Blue ? s'enquit Éric. C'est le groupe de ton ami ?

Parler d'amitié entre Matt et Martin était sans soute exagéré (ils étaient si différents), mais Éric ne savait pas quel autre terme employer.

— Oui, confirma Martin, avant d'ajouter fièrement : C'est un bon groupe. Ils ont joué en première partie au concert de Karmilla !

— Waouh !

Éric était impressionné. La réputation de Karmilla avait atteint les coins les plus reculés de la planète. Hay Lin ne lui avait pas dit que son amie était amoureuse d'une future rock star. Pour Will, bien sûr, ça ne simplifiait pas les choses.

Martin baissa le ton et lui souffla :

— J'ai le sentiment qu'il y a un problème entre Matt et Will. Ces trucs-là, je les sens !

Éric sourit. Ainsi, il n'était peut-être pas le seul garçon intuitif de l'Institut Sheffield... et il avait au moins un point commun avec Martin. « Comme quoi, il ne faut pas juger les gens trop vite », se dit-il. Il espérait quand même rencontrer des garçons avec lesquels il ait un peu plus d'affinités. Mais il verrait cela plus tard.

Après avoir longé des magasins, Éric et Martin traversèrent un jardin public. Éric commençait à trouver le raccourci de Martin un peu long quand un ballon atterrit sur le chemin.

— Hé, attention ! cria quelqu'un sur le terrain de basket voisin.

Éric courut et attrapa le ballon au premier rebond.

— Je l'ai ! lança-t-il.

C'était peut-être l'occasion de prendre part à la partie et de se remettre au basket. Son ballon était encore dans les cartons et il n'avait pas joué depuis longtemps.

Un grand type avec des cheveux mi-longs apparut près de la clôture. Éric l'avait déjà vu quelque part... Ce devait être Nigel... l'ami d'une copine de Hay Lin. De Taranee, lui semblait-il. Quelle coïncidence ! Si les filles étaient amies, ce serait bien de le connaître. Et si les filles l'aimaient bien, peut-être qu'Éric l'aimerait aussi.

— Martin ! s'écria Nigel. Une chance que ton copain ait attrapé le ballon ! Sinon, c'était le troisième ballon perdu aujourd'hui !... Vous voulez jouer ? demanda-t-il avec un sourire amical tandis que les autres joueurs s'approchaient.

Éric en mourait d'envie. C'était un de ses sports favoris et comme il était très grand, il était plutôt bon.

— Qu'en penses-tu ? demanda-t-il à Martin.

La réaction de Martin était prévisible.

— Tu ne voulais pas visiter les monuments de la ville ? lui rappela-t-il d'une voix geignarde.

Éric hésita. Il avait des scrupules à laisser tomber Martin, qui s'était montré si gentil, mais la proposition de Nigel était trop tentante.

— Ça ne t'ennuie pas, Martin ? demanda Éric, un peu gêné.

Il se disait que la visite de la ville pouvait attendre et que, pour Martin, il se rattraperait plus tard... éventuellement en allant à une réunion des Ours Joyeux.

Les bras croisés, Martin marmonna :

— La culture ne peut rien contre la force du sport !

Éric surprit le regard de Nigel et y vit la confirmation de ce qu'il pensait. Tout gentil qu'il était, Martin était quand même un peu bizarre, alors qu'avec Nigel, on se sentait tout de suite à l'aise. Pour mettre fin aux hésitations d'Éric, Nigel pressa le mouvement.

— Tu lui feras visiter la ville plus tard, Martin, dit-il avec diplomatie.

Et il lança le ballon à Éric.

— Allez, la partie continue !

12

« Il est incapable de trouver son chemin sans moi, se dit Martin. Et il ne connaîtra jamais cette ville si je ne la lui fais pas visiter. »

Martin se réjouissait chaque fois qu'il pouvait recruter un nouveau membre pour les Ours Joyeux, et Éric serait une recrue de choix pour les Ours. Il ne devait pas lui échapper. En plus, c'était un garçon vraiment sympa et ce serait super de l'avoir comme ami.

Martin se résigna donc à attendre la fin de la partie de basket. Ensuite, il reprendrait sa conversation avec Éric Lyndon.

« Pendant qu'ils jouent, je vais commencer mes devoirs », se dit-il. C'était toujours bon de prendre de l'avance en début d'année scolaire – Martin avait déjà lu la moitié de ses livres pendant l'été. Mais quand il leva les yeux, la partie battait son plein sur le terrain et, finalement, il délaissa ses livres pour profiter du spectacle.

Visiblement très à l'aise, Éric Lyndon avançait sur le terrain en dribblant quand il faillit se tamponner avec un autre joueur.

— Tiens, on s'est déjà vus, je crois ! s'écria-t-il, surpris.

Nigel s'empressa de faire les présentations.

— Je te présente Matt ! dit-il. Et, au fait, moi, je m'appelle Nigel... ravi de te connaître.

Ses trois-là se ressemblaient tellement qu'on aurait juré qu'ils se connaissaient déjà. « Qui se ressemble s'assemble », se dit Martin.

Son regard sautait de l'un à l'autre comme une balle de ping-pong (un des rares sports qu'il supportait). Nigel paraissait sincèrement content de rencontrer Éric. Mais Matt, lui, n'avait pas l'air heureux du tout, et Martin était à peu près sûr de savoir pourquoi.

Pendant que les joueurs couraient après le ballon, Martin essaya de reconstituer les événements de la matinée. Les regards noirs que Matt jetait à Éric avaient sûrement un rapport avec ce qui c'était passé ce matin-là.

Tout ce qui touchait à Irma et à ses amies intéressait Martin au plus haut point. D'après lui, Will était très éprise de Matt. Il les avait vus, un soir, bien habillés, se rendre ensemble au Lovelyday !

Il était là au moment où Will et Matt s'étaient retrouvés à l'Institut Sheffield, et il avait vu l'expression de leur visage. Will avait l'air ravie, mais Matt avait l'air triste... et en colère.

Pourquoi ? se demandait Martin. Il sentait que ça avait quelque chose à voir avec la poignée de main de Will et d'Éric.

Il jeta un coup d'œil du côté de Matt. Avec son regard sombre et son bouc, on pouvait facilement l'imaginer passionné et jaloux. « Il a dû croire que Will ne serrait pas simplement la main d'Éric, mais qu'elle la tenait. L'erreur était facile... « Moi, je ne traîterais jamais mon Irma de cette façon, se dit Martin. Elle a beau m'ignorer, je sais qu'elle m'aime bien. »

Il n'empêche... Que faisait Éric Lyndon avec ces filles ? Il avait l'air de les connaître assez bien, du moins certaines d'entre elles. Martin n'avait pas encore la réponse à cette question, mais il ne manquerait d'éclaircir ce point tôt ou tard.

« Mon cerveau est comme une machine bien huilée ! Je n'oublie jamais un détail, et j'ai l'art de faire les rapprochements. »

Tout en jouant, les autres garçons se parlaient.

— Martin m'a dit que tu joues dans un groupe, dit Éric à Matt, sans se douter que son interlocuteur avait une dent contre lui.

Matt n'était pas d'humeur à bavarder.

— Oui oui..., grogna-t-il.

« Éric pense sans doute que Matt est simplement absorbé par le jeu, songea Martin. Mais, moi, je pense que ça va mal tourner. »

— On jouera peut-être ensemble un de ces jours, poursuivit Éric. Ce serait amusant.

— On verra, dit Matt.

Et il mit le ballon dans le panier. Matt menait, à présent, et ne cachait pas sa satisfaction.

Martin plaignait un peu Éric. Il fallait lui venir en aide à ce pauvre garçon !

— Alors, tu es musicien, Éric ? lui lança-t-il.

S'il voulait vraiment jouer avec le guitariste de Cobalt Blue, il avait intérêt à être bon !

— J'ai appris quand j'étais petit avec mon grand-père, dit Éric, prenant le ballon à Matt. Mais je ne suis pas trop nul au basket non plus...

Et il repartit en courant.

Du milieu du terrain, Éric se dirigea vers le panier... et marqua ! Même Martin savait que c'était un beau coup, et il entendit Matt lâcher, malgré lui, un léger sifflement admiratif.

Éric continuait à jouer comme si de rien n'était.

— À l'observatoire, reprit-il en courant à reculons, il y a une pièce remplie d'instruments de musique. Quand j'étais petit, je m'y cachais, et ça énervait mon grand-père.

Matt leva les yeux au ciel en regardant Nigel, pensant que personne ne le remarquerait. Mais rien n'échappait à Martin.

« Qu'est-ce qui contrarie Matt à ce point ? Pense-t-il vraiment que mettre un ballon dans un panier est plus intéressant qu'une honnête conversation ? »

Martin, pour sa part, préférait de beaucoup entendre Eric raconter ses souvenirs d'enfance que de regarder le match...

Le bruit du ballon rebondissant sur le sol couvrait presque la voix d'Éric, mais Martin l'entendit poursuivre :

— ... Jusqu'à ce que mon grand-père me dise, un jour : « Puisque tu aimes temps ces instruments, choisis-en un et entraîne-le. »

« Comment ça ? se demanda Martin. Ce n'est pas l'instrument qu'on entraîne, mais soi-même... »

Nigel aussi s'étonna.

— Entraîner un instrument ? fit-il remarquer. Que veux-tu dire ?

— Oui, je sais. C'est bizarre, hein ? dit Éric. Entraîner un instrument, c'est lui apprendre à faire ce que tu veux qu'il fasse, à jouer la musique que tu aimes...

Il se tut en voyant qu'on avait du mal à le suivre. Les autres avaient l'air plus que perplexes.

Martin, qui espérait toujours secrètement en faire un Ours Joyeux, voulut de nouveau lui tendre une perche. C'était le moment d'intervenir et de lui donner une chance de s'expliquer. Alors, il l'incita à poursuivre :

— Et ensuite ?

Mais Matt n'avait manifestement pas envie d'en savoir plus.

— Pour l'instant, on finit le match, dit-il.

Puis, pour changer de sujet, il ajouta :

- Alors, Éric, tu t'en vas bientôt ?

Martin sentait la situation s'envenimer et il était pressé de partir.

Éric sembla croire que Matt lui demandait quand il quittait Heatherfield.

— Je ne sais pas. Mais je pense que je suis ici pour un moment. Heatherfield est plein de gens super, dit-il gaiement.

— Tu parles de Will ? rétorqua Matt.

Martin retint son souffle tandis qu'Éric balbutiait :

— Enfin... oui, entre autres. Mais, en vérité, je pensais à quelqu'un d'autre.

Un moment s'écoula, puis, pour dissiper tout malentendu éventuel, Éric ajouta :

— En plus, j'ai le sentiment que Will à un faible pour les guitaristes !

« Bien joué, Éric, se dit Martin. Il a dû sentir qu'il y avait quelque chose entre Matt et Will. »

L'expression de Matt changea du tout au tout quand il comprit ce qu'Éric venait de dire. Si Éric ne s'intéressait pas à Will, Matt n'avait pas de souci à se faire.

«Matt a quand même commis une grave faute, songeait Martin. J'ai vu Will pleurer tout à l'heure, et je suis sûr que c'était à cause de lui.»

Martin n'avait aucune raison de ne pas aimer Matt, mais il se sentait une sorte de loyauté envers les amies d'Irma, et toute insulte faite à Will était une insulte envers Irma... et, de fait, envers lui !

Personnellement, il n'avait jamais pensé qu'Éric aimait Will. Il avait bien vu que c'était un malentendu dès le départ. Cela dit, il ne savait toujours pas pourquoi Éric était avec les filles, ce matin...

C'est alors qu'Éric proposa :

— Ça vous dirait d'aller manger quelque chose au Dragon d'Argent ?

Martin se redressa d'un air triomphant. Enfin, le mystère s'éclaircissait.

— J'ai trouvé ! s'écria-t-il. Hay Lin !

Éric avait dû la rencontrer pendant l'été... il avait dû aller au restaurant des Lin. Cela expliquait l'air tendu de Hay Lin juste avant qu'Éric rejoigne le groupe. Et aussi pourquoi Éric semblait déjà connaître les filles.

En faisant un rapide calcul, Martin se rendit compte qu'il y avait cinq filles dans le cercle d'Irma, et quatre garçons sur le terrain de basketball. Ils allaient par paires : Matt et Will, Éric et Hay Lin, Nigel et Taranee, Martin et Irma.

Enfin... Martin et Irma, si on veut. Martin savait qu'ils ne formaient pas vraiment un couple, mais il continuait à espérer. Peut-être qu'un jour, il serait avec elle pour de bon. Peut-être qu'un jour, il ferait partie de ce groupe.

La seule fille qui manquait à ce tableau était Cornelia. Tout le monde la savait jolie et populaire, alors pourquoi ne sortait-elle avec personne ? Martin ne s'était jamais interrogé auparavant et il décida d'approfondir la question. Peut-être trouverait-il une réponse...

« Je sais, se dit-il. Elle devrait rencontrer un Ours Joyeux ! »

13

Au cœur du Mont Thanos, Nerissa se tenait la tête entre les mains. Les flammes dansaient autour d'elle et la lave bouillonnait en dessous. Mais ce n'était rien comparé au feu qui dévorait son âme.

« Le temps est venu, se dit-elle. Je ne peux plus attendre ! Je dois agir maintenant, avant qu'il ne soit trop tard ! »

Elle avait tout essayé pour faire céder son prisonnier sans employer la force. Mais Caleb étant resté fidèle à Kandrakar, elle se voyait obligée d'utiliser les grands moyens.

Pendant des siècles, Nerissa n'avait connu qu'une seule émotion : la rage. Ce sentiment avait chassé de son esprit toute peur et toute douleur, et rempli son tombeau comme un gaz redoutable qui était sur le point d'exploser.

Maintenant, elle se demandait si elle pourrait canaliser sa colère comme elle l'avait prévu. Elle voulait d'abord s'emparer des copies des pouvoirs des Gardiennes que possédait Caleb. Ensuite, elle se transformerait en cette superbe jeune Gardienne qu'elle avait été jadis ! Personne ne pourrait rivaliser avec elle.

Elle sentait le Cœur de Kandrakar qui l'appelait et la suppliait de le libérer. Cette Will n'avait aucun droit sur lui. Nerissa savait que le Cœur lui appartenait, pour toujours.

« Je ne supporterai pas davantage d'en être privée ! se promit-elle à elle-même. Cela fait trop longtemps que je n'ai pas tenu la précieuse sphère dans ma main. Beaucoup trop longtemps ! »

Ce qu'elle s'apprêtait à faire, néanmoins, était risqué. Elle s'était servie de la magie pour beaucoup de choses, mais jamais pour inverser le temps.

«C'est parce que je n'ai pas disposé des cinq pouvoirs en même temps, se rappela-t-elle. On ne peut pas arrêter le Pouvoir des Cinq! La Gardienne blonde l'a utilisé pour rendre sa forme humaine à Caleb. Mon but n'est pas si différent. Moi aussi, je cherche une nouvelle vie!»

Pour retrouver les pouvoirs et transformer son corps, Nerissa devrait utiliser toute la magie dont elle disposait.

D'abord, elle aurait besoin de ses quatre serviteurs. Elle avait créé Ember, Tridart, Khor et Shagon avec le pouvoir qu'elle avait soigneusement conservé pendant ses années d'exil, et il lui faudrait maintenant en récupérer une partie. Au mieux, ça les rendrait inefficaces pendant un certain temps. Au pire, ça les détruirait... et Nerissa se retrouverait seule... et impuissante, une fois de plus. C'était là son unique crainte. Mais le temps manquait. La peur ne servait à rien!

Pour plier le destin à sa volonté, c'étaient le courage et la confiance qu'il lui fallait !

Elle se rendit à grands pas auprès du prisonnier qui gisait parmi les roches de lave. Nerissa ordonna à ses créatures de se rassembler autour de lui et expliqua son projet.

— Une vieille sorcière, déclara-t-elle, voilà ce que je suis devenue !

Ils la regardèrent, impassibles, n'osant pas répondre aux déclarations de leur maîtresse. Ember, Tridart, Khor et Shagon regardaient fixement les flammes et, de temps en temps, leurs regards passaient de la Gardienne déchue au chef des rebelles de Méridian.

Nerissa inspira profondément et leur expliqua ce qu'elle attendait d'eux.

— Je veux seulement vous demander une petite faveur. Je sais que je peux compter sur votre aide. Vous allez me rendre un peu de la vie que je vous ai donnée. Ce ne sera pas douloureux... Enfin, pas plus qu'il n'est nécessaire.

Les mensonges étaient sa spécialité, son arme de réserve. Il n'y avait pas de raison de dire la vérité maintenant.

— Croyez-moi, dit-elle avec un sourire hypocrite. Cela me fera bien plus de mal qu'à vous.

La gentillesse de ses propres paroles irritait Nerissa

« On croirait entendre l'Oracle ! se dit elle. Faible et exagérément bienveillant. Essayant d'imposer l'ordre à la Congrégation avec de fausses promesses. Laissant les émotions prendre le dessus. »

Elle avait grande envie de revoir Kandrakar... et de l'écraser ! C'était pour bientôt... très bientôt. Mais d'abord elle devait s'occuper du jeune Héraut.

Elle s'avança vers Caleb en brandissant sa crosse.

— Ton hostilité commence à m'agacer, Caleb.

Tout faible qu'il était, Caleb trouva encore en lui la force de défier Nerissa :

— N'es-tu pas fatiguée d'échouer ? dit-il. Tu sais que je ne trahirai jamais Kandrakar ni ses Gardiennes !

— Dans ce cas, je saurai bien t'y contraindre !

Elle ferma les yeux et se remémora la honte de sa condamnation, la souffrance de sa solitude, les années passées à préparer ses plans. Elle invoqua les pouvoirs des éléments qui hurlaient autour du Mont Thanos : la terre et le vent, le feu et l'eau. Elle se vit tenant à nouveau le Cœur dans sa main, elle imagina le joyau resplendissant qui attendait ses ordres, puis, les yeux fixés sur ceux de Caleb, elle hurla :

— Que l'énergie de mes créatures me soutiennent ! Je reprendrai le pouvoir des Gardiennes !

À ces mots, un vent violent se leva, entraînant la poussière et les flammes dans une gigantesque tornade qui, dans un rugissement assourdissant, balaya Caleb et l'arracha à sa prison. Broooomm ! Puis la même tornade tourbillonna autour des serviteurs de Nerissa et les dépouilla de leurs pouvoirs, les laissant faibles et presque sans vie.

Nerissa contempla, immobile, cette tornade dévastatrice. Elle ne pouvait plus rien contre les forces qu'elle avait déchaînées. Il ne lui restait qu'à attendre, en espérant une issue favorable.

Pour le moment, elle ne sentait que la violence du vent, l'intensité de la chaleur, et la montée en puissance de forces apocalyptiques.

Puis une secousse électrique ébranla tout son corps : la magie de Khor et des autres reprenait sa place. Son cœur s'accéléra, ses muscles se tendirent, son sang se mit à palpiter dans ses veines et ses yeux s'ouvrirent grand, prêts à contempler l'ampleur des destructions qu'elle allait déclencher. Elle disposait de toute la force dont elle avait besoin... pour l'instant. Elle était prête à achever le transfert de pouvoir.

— Que la vie revienne couler dans mes veines ! proclama-t-elle de sa voix rauque dans l'atmosphère étouffante du Mont Thanos. Maintenant !

Le volcan se dilata et gronda. Pendant un moment, Nerissa crut que tout était perdu. Puis... kazuuuumm ! L'éruption qui devait le détruire à jamais et projeter des forces inconnues à travers le monde... cette éruption finale se produisit dans une gigantesque explosion.

Nerissa ne pouvait ni penser ni se concentrer, mais quelques images traversèrent son champ de vision. Elle vit le corps de Caleb jaillir comme une fusée des profondeurs de l'enfer, et ses serviteurs, les traits tordus par la douleur. Une dernière explosion de lave fit fondre la toundra gelée tout autour du volcan, rendant le paysage méconnaissable. Nerissa contempla le chaos et, rejetant la tête en arrière, éclata d'un rire diabolique.

Elle continua à observer le cataclysme qu'elle avait déclenché, fascinée par la force et la beauté du spectacle. Elle aperçut la main de Khor qui essayait désespérément de s'agripper à un rocher, mais ne daigna pas l'aider. De toute façon, là où elle allait, elle n'aurait pas besoin de ses serviteurs. Elle ne se souciait aucunement de ce qui pouvait

leur arriver. Maintenant qu'elle les avait uti-
lisés, elle ne demandait qu'à s'en débarras-
ser.

Tandis que, peu à peu, le calme revenait
et l'air s'éclaircissait, un sentiment étrange
l'envahit. Son corps devint plus léger, plus
souple et plus ferme. Sa vue et son ouïe s'af-
finèrent. Ses os ne lui faisaient plus mal
quand elle bougeait. Elle s'aperçut qu'à sa
colère se mêlait une lueur d'espoir, comme
chez un enfant.

Quand elle regarda ses mains, elle n'en crut
pas ses yeux. Ses mains noueuses et ridées
avaient fait place à des mains de jeune femme,
à la peau claire et aux ongles brillants. Nerissa
craignait presque de s'en servir... Elle en leva
une pour toucher ses cheveux : ils étaient
devenus souples et lisses... Le pouvoir avait
fonctionné ! Elle était transformée ! Elle avait
retrouvé ses cheveux noirs et brillants d'autrefois et ses boucles légères qui dansaient
autour de sa taille.

Elle se leva d'un bond, débarrassée des
douleurs accumulées dans son tombeau.
Elle caressa avec volupté le tissu soyeux de

sa longue robe pourpre qui habillait à présent sa taille longue et fine. Elle courut se regarder dans une flaque de glace fondue, et ce qu'elle vit alors lui rappela tant de souvenirs qu'elle recula en chancelant. Elle se souvenait de toutes ses compagnes : Kadma et Halinor, Yan Lin et Cassidy. Surtout Cassidy.

« La dernière fois que je l'ai vue, j'étais comme ça », se dit-elle. Elle ressentit un léger pincement au cœur... Une autre aurait parlé de regret.

Mais Nerissa chassa ce sentiment désagréable avec sa vigueur habituelle et retourna vers son miroir improvisé pour observer son image sous tous les angles.

« Comme l'Oracle doit trembler ! » se dit-elle, ravie. La destruction du Mont Thanos avait dû envoyer des ondes de choc à travers tout l'univers, jusqu'au centre de Kandrakar, et interrompre sa méditation. Elle le revoyait, assis en tailleur au milieu du Temple, en suspens dans l'air.

« Peut-être que mon action l'a fait tomber par terre ! se réjouit-elle. Cela lui aura au moins ouvert les yeux. Il sera bien obligé de me voir. Et bientôt, il connaîtra la violence de ma vengeance. »

Elle entendait sa voix lui murmurer :

— Nerissa, tu es perdue !

« C'était peut-être vrai avant, songea-t-elle, mais tout a changé, maintenant ! »

— Mon visage... mes mains... murmura-t-elle. Il y a un nouveau pouvoir en moi !

Dans l'air clair de ce matin apocalyptique, elle éclata de rire comme une gamine, puis annonça au monde dévasté qui l'entourait :

— Kandrakar, me voici !

14

Caleb avançait péniblement dans l'immensité glacée, lorsqu'il entendit Nerissa. Elle était loin derrière lui maintenant, mais ses paroles résonnaient à travers la toundra gelée.

— Enfin ! hurla-t-elle. J'en avais plus qu'assez de cette prison ! Qu'elle disparaisse à jamais !

Le bruit des pierres qui se désintégraient et le grondement continuel de la lave ne suffisaient pas à couvrir sa voix.

— Shagon ! Où es-tu ?

« Il est là où tu l'as envoyé », eut envie de répondre Caleb. Malgré la répulsion que lui inspirait Shagon avec ses serpents sur la tête, il trouvait odieux le traitement qu'infligeait Nerissa à son serviteur. Après l'avoir créé, elle le sacrifiait sans état d'âme à ses sombres projets.

À sa place, Caleb se serait révolté. Mais il entendit la sinistre voix de Shagon demander :

— Quels sont tes ordres, Nerissa ?

— Amène-moi le prisonnier ! Je ne veux pas de poids mort pour le voyage.

Caleb frémit. « Qu'ils m'attrapent d'abord ! », se dit-il en jetant un coup d'œil derrière lui.

Shagon avait de mauvaises nouvelles à annoncer à sa maîtresse.

— Nerissa ! Caleb s'est enfui !

Caleb imagina la réaction de Nerissa : le regard glacial, les bras croisés sur la poitrine, incapable d'accepter l'échec.

— Imbécile ! hurla-t-elle. Qu'est-ce qu'il croit ? Là-bas, il ne trouvera que la neige et la mer... et un froid glacial qui le paralysera !

Elle disait vrai et, pourtant, Caleb avait un avantage. Quand l'explosion l'avait libéré, il s'était accroché a un morceau d'étoffe et s'en était fait un manteau. Une protection insuffisante, sans doute, mais peut-être une chance de survie... Et, déjà, une petite victoire.

La liberté n'était pas encore gagnée, bien sûr... Son corps qui avait brutalement atterri sur la glace était couvert d'ecchymoses, son estomac criait famine et, malgré cela, il continuait à marcher dans la neige, soutenu par l'idée que tout n'était pas perdu.

« Je me suis enfui, se dit-il. C'est déjà bien. Je n'étais pas du tout certain d'y arriver... »

Prisonnier dans les entrailles du volcan, il n'avait jamais perdu courage. Et voilà que la Gardienne déchue, la maîtresse du Mont Thanos – ou plutôt de ce qui en restait – lui avait elle-même fourni l'occasion de s'échapper en déchaînant un gigantesque cataclysme qui avait détruit sa cellule.

La vengeance de Nerissa avait visiblement été soigneusement planifiée. Pourtant, elle ne semblait pas s'être préoccupée du devenir de Caleb.

« Croyait-elle que j'allais coopérer ? se demanda-t-il. Que je resterais à ses côtés ? »

Maintenant qu'il lui avait échappé, Caleb aimait à penser que Nerissa ne prendrait pas la peine de le poursuivre. Elle avait déjà réclamé sa copie des pouvoirs des Gardiennes, puis utilisé la magie pour se transformer et retrouver son éclat d'antan. Que pouvait-elle attendre de plus ?

« Peut-être ai-je mis au jour une faille dans son vaste projet. Et peut-être vais-je bientôt découvrir ce qu'elle compte faire de moi. »

Il avait beau essayer de chasser cette idée de son esprit, ses pensées le ramenaient toujours à sa prison. Il frémissait en se rappelant sa dernière vision de Nerissa. La vieille femme desséchée s'était transformée pour redevenir la brillante jeune Gardienne d'autrefois. Elle était véritablement belle avec ses cheveux de jais et sa peau claire, et sa robe pourpre qui mettait en valeur son corps mince et musclé. Mais sa beauté était purement extérieure. Dans son âme, il n'y avait que fureur, amertume et désir de vengeance...

Pour Caleb, il était terrifiant de penser que toute cette rage était dirigée contre ses amies, les Gardiennes. Il aurait tant aimé les prévenir ! Elles savaient que Nerissa les poursuivait dans le but de s'emparer du Cœur, mais elles ne l'avaient jamais vue de près comme lui. Elles ignoraient quelle sorte de pouvoir elles avaient face à elles. Et elles ne la reconnaîtraient même pas, sous sa nouvelle forme.

Caleb s'inquiétait pour ses amies. Où étaient-elles ? Ce n'était pas leur genre de ne pas donner signe de vie. Quelque chose avait dû se passer… Il espérait du moins qu'elles étaient en sécurité.

Quant à lui, il savait qu'il devrait compter sur sa propre intelligence pour s'en sortir. Il n'avait rien à manger ni à boire, sauf peut-être en essayant de faire fondre de la glace dans ses mains gelées. Et, surtout, il avait besoin de repos pour reprendre des forces.

Mais où trouver un abri dans ces solitudes glacées ?

« Si je ne trouve pas un abri bientôt, je suis perdu. »

Il se sentait trop faible pour construire un igloo à mains nues… Soudain, il trébucha et s'effondra sur la neige en laissant échapper un cri. Affolé, il se demanda si Nerissa l'avait entendu depuis le Mont Thanos. Mais le problème vint d'ailleurs. Quelqu'un venait de se dresser devant lui. De là où il gisait, Caleb vit l'ourlet d'une tunique rouge... Puis, levant le regard, il reconnut cette tunique... et celle qui la portait.

Ses longs cheveux balayaient son visage et cachaient ses traits, mais son profil félin et ses moustaches givrées n'étaient que trop familières à Caleb. Il se rappela tout le mal qu'elle lui avait fait, notamment en essayant de le séparer de Cornelia. Sans elle, Nerissa n'aurait jamais réapparu. Malgré sa rancune, Caleb comprit qu'il n'avait pas le choix : il devait pardonner à la Gardienne des gouttes d'Aura, ou du moins, prendre le risque de lui demander de l'aide.

Il leva le visage vers elle et lui tendit des bras suppliants. Ses lèvres gelées réussirent tant bien que mal à articuler :

— S'il te plaît, Luba !